Curs de català per a no-catalanoparlants adults

Digui, digui...

LLIBRE DE L'AUTOAPRENENT

Marta Mas · Joan Melcion
Rosa Rosanas · M.Helena Vergés

Publicacions de l'Abadia de Montserrat

KU-689-457

EXPERIÈNCIES
Evolució de persones i de la societat

Objectius comunicatius

L'objectiu d'aquesta unitat didàctica és aprendre a:

— Parlar d'una tercera persona expressant-ne els canvis soferts (canvis físics: *s'ha fet vell*; anímics: *s'ha tornat molt alegre*; de condició: *s'ha arruïnat*; ideològics: *s'ha tornat molt conservador*).
— Contrastar la infantesa i/o la joventut d'un mateix amb la d'altres persones. (Comparar el tipus d'educació que s'ha rebut, el tipus d'escola on s'ha estudiat, els jocs a què se solia jugar, els costums i modes que imperaven en aquell moment, etc.)
— Narrar experiències personal passades.
— Relacionar experiències de la vida personal amb esdeveniments històrics i socials dels últims anys.

CANVIS

1. — DIÀLEG

La Sra. Mercè convida a prendre cafè en Toni, en Miquel i l'Alfonso per demanar-los un favor.

Escolta el diàleg i contesta les preguntes següents:

1) Quants anys té ara la neboda de la Sra. Mercè?
2) Quants anys feia que no la veien?
3) Quin record tenen de l'Eulàlia en Toni i la Sra. Mercè?
4) Quin favor demana la Sra. Mercè als nois?
5) Quines raons donen ells per no fer-l'hi?

> *En Toni diu que...*
> *L'Alfonso diu que...*
> *En Miquel diu que...*

En el diàleg que acabes de sentir, la Sra. Mercè parla d'una neboda seva. Entre altres coses diu:

S'ha fet gran

Per indicar els canvis que ha sofert una persona (aspecte físic, condició social, creences, etc.) podem usar el verb **fer** en forma pronominal: *fer-se*.

> **S'ha fet** *vell.*
> **S'ha fet** *maco.*
> **S'ha fet** *ric.*
> **S'ha fet** *anarquista.*

4

En alguns casos, en comptes d'aquesta construcció, **fer-se** + **adj**, podem usar un verb que impliqui el mateix significat:

S'ha fet gran	=	**ha crescut**/ **(s')ha envellit**
S'ha fet vell	=	**(s')ha envellit**
S'ha fet ric	=	**s'ha enriquit**

En la construcció **fer-se** + **adj**, si volem substituir l'adjectiu per un pronom, haurem de substituir-lo pel pronom **en**:

Vols dir que **s'ha fet tan ric?**
Sí que **se n'ha fet. (n' = ric)**

Però no sempre que vulguem expressar el canvi sofert per una persona s'utilitza el verb **fer-se**. En molts altres casos és preferible usar el verb **tornar-se** ("volverse").

S'ha tornat *calb.*
S'ha tornat *miop.*
Cada dia **es torna** *més lleig.*
Els empresaris cada dia **es tornen** *més conservadors.*
S'ha tornat *boja.*

En la construcció **tornar-se** + **adj**, el pronom que pot substituir l'adjectiu és el pronom **hi**:

Abans no era **calb**, *oi?*
No, però **s'hi ha tornat** *en poc temps.* (**hi = calb**)

En aquest quadre pots trobar alguns dels verbs i de les construccions verbals més usuals per indicar els canvis que es poden produir en les persones.

CANVIS FÍSICS	ANÍMICS	DE CONDICIÓ	IDEOLÒGICS
ACLARIR-SE (els cabells) ENFOSQUIR-SE (els cabells) CRÉIXER APRIMAR-SE ENGREIXAR-SE REJOVENIR-SE CONSERVAR-SE	ANIMAR-SE ENAMORAR-SE IL·LUSIONAR-SE DESANIMAR-SE DESENGANYAR-SE /...	ENRIQUIR-SE EMPOBRIR-SE ARRUÏNAR-SE PROGRESSAR CASAR-SE DIVORCIAR-SE /...	CONVERTIR-SE
FER-SE gran vell/-a maco/a lleig/lletja /...		ric/-a pobre/-a milionari/-ària /...	socialista comunista cristià/-ana ateu/atea
TORNAR-SE calb/-a moreno/-a miop (els cabells) foscos/blancs /...	boig/-oja antipàtic/-a simpàtic/-a alegre generós/-osa malencònic/-a autoritari/-ària rondinaire /...		conservador/-ora liberal carca progressista reaccionari/-ària /...

PRÀCTICA D'ESTRUCTURES

2 🔊 **2. — EXERCICI DE PRONUNCIACIÓ**

Escolta el diàleg següent.

—*Oi que se li han enfosquit els cabells?*
▶ *Molt, se li han enfosquit.*

Repeteix aquestes dues frases fixant-te en les diferents maneres de pronunciar la lletra **n**.

Respon les preguntes següents, igual que en el diàleg anterior, fixant-te en la pronunciació de les lletres impreses en negreta.

—Oi que s'ha e**n**vellit molt?
—...

—Oi que s'ha e**n**greixat molt?
—...

—Oi que s'ha e**n**riquit molt?
—...

3 🔊 **3. — PRÀCTICA D'ESTRUCTURES**

Escolta el diàleg següent.

—**S'han fet molt rics, oi?**
▶ **Sí que se n'han fet.**

Repeteix aquestes dues frases.

Respon les preguntes següents igual com en el diàleg anterior.

—S'ha fet molt maco, oi?
—...

—S'han fet molt grans, oi?
—...

—S'ha fet molt vella, oi?
—...

—S'ha fet molt alt, oi?
—...

—S'ha fet anarquista, oi?
—...

—S'ha fet catòlic, oi?
—...

4 🔊 **4. — PRÀCTICA D'ESTRUCTURES**

Escolta el diàleg següent

—**Abans ja era calb?**
▶ **No, s'hi ha tornat en poc temps.**

Repeteix aquestes frases.

Respon les preguntes següents igual com en el diàleg anterior.

—Abans era tan conservador?
— ....

—Abans era tan autoritària?
—..

—Abans era tan rondinaire?
— ....

—Abans era tan amable?
— ....

—Abans era tan miop?
— ....

—Abans era tan rossa?
—..

RECORDS

5. — *Un matrimoni recorda la seva infantesa i la seva joventut.*

Llegeix aquest text.

Esperança Salvi. 1926, Alcoi.

"Recordo que quan tenia catorze anys encara jugava a nines. Quan sortíem de l'escola, solíem baixar al carrer a jugar fins allà a les 8 del vespre. Havent sopat, llegíem contes o parlàvem una estona i ens en anàvem a dormir d'hora, allà a quarts d'onze.
També em recordo que una vegada, ja més grandeta, vaig tornar del cine a les 10 del vespre i el meu pare em va clavar una bufetada. A ballar, no hi vaig anar fins als 18 anys, i encara amb els meus pares. Em vaig casar als 20 anys."

Jordi Queralt. 1925, Badalona.

"Jo recordo que quan era petit solia jugar a bales: era el campió del barri i no perdia mai. De més gran, cap allà als 14 o 15 anys, podia tornar a casa a les 10 del vespre, però no podia ni beure ni fumar. Ho feia d'amagat. Vaig començar a treballar quan tenia 15 anys. Els diumenges anava al cine amb una colla, i, quan sortíem, anàvem a fer un volt per la Rambla, darrere de les noies. Quan ja devíem tenir 17 o 18 anys acostumàvem a anar a ballar. Em vaig casar als 21 anys."

Busca el significat de les paraules que no entenguis (al final de la unitat o en un diccionari).

Fixa't que aquests dos personatges, per evocar la seva infantesa i la seva joventut, usen el verb **recordar**, a vegades en forma pronominal

"*També* **em recordo** *que una vegada...*"

i a vegades sense pronom

"**Recordo** *que quan tenia catorze anys...*"
"*Jo* **recordo** *que quan era petit...*"

Els equivalents en català dels verbs castellans "recordar" i "acordarse" són **recordar** i **recordar-se** respectivament (**recordar** *alguna cosa* = **recordar-ho**; **recordar-se** *d'alguna cosa* = **recordar-se'n**).

Observa que quan usem el verb **recordar-se** i no volem explicitar el seu complement —allò de què ens recordem— hem de fer servir el pronom **en**.*

Exs.　—*Et recordes* **de quan anàvem al ball?***
　　　—*I tant si me'n recordo!* ('n = de quan anàvem al ball)
　　　—*Et recordes* **que una vegada vas tornar tard i el teu pare et va pegar?**
　　　—*Ja ho crec que me'n recordo!* ('n = que una vegada ...)

Observa que davant la conjunció **que** no s'utilitza mai la preposició **de**, ni tampoc cap altra preposició àtona **a**, **en**, **amb**.

En canvi, si el que no volem explicitar és el complement del verb **recordar** —allò que recordem—, l'hem de substituir pel pronom **ho**, si es tracta d'un complement neutre, i pels pronoms **el**, **la**, **els**, **les**, si es tracta de complements determinats.

Exs.　—*Recordo* **que quan tenia catorze anys jugava a nines. Ho** *recordo perfectament.* (**Ho** = que quan tenia ...)

　　　—*Recordes* **que jugàvem a bales?**
　　　—*Sí,* **ho** *recordo perfectament.* (ho = que jugàvem a bales)
　　　—*Recordes* **aquell noi que vam conèixer a Sitges?**
　　　—*Qui? En Jaume? I tant que* **el** *recordo!* (el = el noi que vam conèixer a Sitges.)

---

* Naturalment, també usem el pronom quan l'element substituït s'explicita per a més claredat, però aleshores aquest element va separat per una coma (és a dir, per una pausa).

Ex.　*Te'n recordes,* **de quan anàvem al ball?** ('n = de quan anàvem al ball)

5 6. — **PRÀCTICA D'ESTRUCTURES**

Escolta aquests diàlegs.

—**Recordes quan ens vam conèixer?**
▶ **I tant** *si ho* **recordo!**

—**Et recordes del dia que ens vam conèixer?**
▶ **I tant si** *me'n* **recordo!**

Repeteix les frases d'aquests diàlegs. Fixa't en el pronom que hem utilitzat en cada una.

Respon les preguntes següents, substituint les paraules en negreta pel pronom adequat.

—Et recordes del primer petó que et vaig fer?
— ....

—Recordes que sempre ens discutíem?
— ....

—Us en recordeu, de quan anàvem al ball?
— ....

—Recordeu aquelles tardes de primavera, al poble?
— ....

—Te'n recordes, de quan fèiem aquelles excursions amb bicicleta?
— ....

—Vols dir que se'n recorda, del dia que vam comprar el primer cotxe?
— ....

—Vostè, no recorda que vivíem a la casa del costat?
— ....

TE'N RECORDES?

7. — A continuació et donem una sèrie de dades sobre esdeveniments històrics, socials o culturals, desordenades cronològicament. Intenta ordenar-les i rescriu-les a la pàgina següent al costat de l'any en què van tenir lloc.

— Se celebren els Jocs Olímpics a Londres.
— Les dones poden votar per primera vegada a l'Estat Espanyol.
— Els Beatles actuen a Barcelona.
— Es llança la primera bomba nuclear sobre Hiroshima i Nagasaki.
— Mor el pintor Pablo Ruiz Picasso.
— A Barcelona va ser retirada la darrera línia de tramvies de la xarxa urbana.
— Pacte del govern franquista amb el dels Estats Units que permet la instal·lació de bases militars nord-americanes a l'Estat Espanyol a canvi d'ajut econòmic.
— Proclamació de la Segona República.
— L'home arriba per primera vegada a la Lluna.
— Esclata la guerra civil a l'Estat Espanyol.
— Es reinstaura la Generalitat de Catalunya.
— El parlament espanyol aprova el primer Estatut d'Autonomia de Catalunya.
— S'emet a Barcelona, des dels estudis de Madrid, el primer programa de televisió.
— Mor l'actriu Marilyn Monroe.
— Apareix el jeep, automòbil utilitzat per primera vegada per l'exèrcit dels Estats Units durant la segona guerra mundial.
— S'aprova la llei del Divorci a l'Estat Espanyol.

Ex. 1931 *Proclamació de la Segona República.* ....
....

1932 ....
....

1933 ....
....

1936 ....
....

1942 ....
....

1945 ....
....

1948 ....
....

1953 ....
....

1959 ....
....

1962 ....
....

1964 ....
....

1969 ....
....

1971 ....
....

1973 ....
....

1977 ....
....

1981 ....
....

8. — a) Llegeix aquest text. Busca el significat de les paraules que no entenguis al final de la unitat o en un diccionari i fixa't en les expressions adverbials de temps que es destaquen (paraules en negreta).

A finals de l'any 1930 *es produeix una sublevació de caire republicà a Jaca. L'intent fracassà, però aquest fet significà el primer símptoma de desprestigi de la monarquia, que es veié obligada a organitzar dues consultes electorals. A la primera, les eleccions municipals celebrades* **el 12 d'abril de l'any següent**, *els resultats foren netament favorables als republicans, i el rei es veié obligat a deixar el país.* **Dos dies després**, *Francesc Macià proclamà la I República Catalana dins la Federació Ibèrica, però el govern republicà de Madrid no ho accepta.* **Tres dies més tard** *es reinstaurà la Generalitat de Catalunya.* **Al cap de quatre mesos** *se sotmeté a aprovació el primer Estatut d'Autonomia, que fou acceptat per la majoria de la població catalana. Les Corts de Madrid, però, no l'aprovaren* **fins al cap d'un any**, *el dia 9 de setembre.*

El 1933 *les dretes guanyaren les eleccions generals a Madrid.* **El dia de Nadal d'aquest mateix any** *morí F. Macià. El substituí Ll. Companys.*

El 1934, *a causa d'un enfrontament entre el govern de la Generalitat i el govern conservador de Madrid, se suspengué l'Estatut i el govern de la Generalitat fou empresonat.*

A les eleccions de febrer de l'any 1936 *guanyaren novament les esquerres i es retornà a la situació política anterior a l'octubre de 1934.*

El 18 de juliol *es produeix un alçament militar contra la República. A Catalunya, però, fracassà la sublevació mercès a la intervenció armada de sindicats i partits d'esquerra i al fet que algunes forces de seguretat i algunes guarnicions militars es mantingueren fidels a la legalitat republicana. Tanmateix, aquesta data marca l'inici de la Guerra civil espanyola i obre un període de forta inestabilitat política. La derrota de les forces republicanes tingué com a conseqüències immediates per a Catalunya l'abolició de l'Estatut i l'inici d'una etapa de duríssima repressió. Destaquem, com a exemple, l'afusellament del president Companys a Montjuïc* **el 15 d'octubre de 1940**. *Per a molts catalans començà un llarg exili per altres països d'Europa o d'Amèrica.*

Remarca que la majoria dels temps verbals estan conjugats en pretèrit perfet simple, temps que s'utilitza freqüentment en escrits científics, d'assaig, literaris, etc. i que en la variant dialectal del català central no s'usa mai en el llenguatge col·loquial. Aquest temps verbal equival al pretèrit perfet perifràstic.

Ex: **fracassà** (pret perf simple) = **va fracassar** (pret perf perifràstic) (V. també unitat 47)

Fixa't també que, davant d'una xifra que indica l'any en què va succeir alguna cosa, usem l'article **el** sense cap preposició al davant (**El 1934** = castellà "En 1939").

b) A partir de les dades que es desprenen del text, completa aquest quadre cronològic.

Ex. Finals dels anys 30:   *Sublevació militar de caire republicà a Jaca.*
    12 d'abril de 1931: ....
    14 d'abril de 1931: ....
    17 d'abril de 1931: ....
    2 d'agost de 1931: ....
    9 de setembre de 1932: ....
    Novembre de 1933: ....
    25 de desembre de 1933: ....
    octubre de 1934: ....
    Febrer de 1936: ....
    18 de juliol de 1936: ....
    5 d'abril de 1938: ....
    Febrer de 1939: ....
    15 d'octubre de 1940: ....

LÈXIC, EXPRESSIONS I FRASES FETES

Verbs

aclarir-se (els cabells) *aclararse (el pelo)*
fer un volt *dar una vuelta*
animar-se *animarse*
aprimar-se *adelgazar*
arruïnar-se *arruinarse*
conservar-se *conservarse*
convertir-se *convertirse*
créixer *crecer*
desanimar-se *desanimarse*
desenganyar-se *desengañarse*
divorciar-se *divorciarse*
emetre *emitir*
empobrir-se *empobrecerse*
enfosquir-se (els cabells) *oscurecerse
(el pelo)*
engreixar-se *engordar*
enriquir-se *enriquecerse*
envellir-se *envejecer*
fer-se (= esdevenir) *hacerse, volverse*
il·lusionar-se *ilusionarse*
llançar *lanzar*
progressar *progresar*
rejovenir-se *rejuvenecerse*
sotmetre *someter*
substituir *sustituir*
tornar-se (esdevenir) *volverse*
votar *votar*

Expressions adverbials de temps

A finals de... *A finales de...*
Dos dies després... *Dos días después...*
Tres dies més tard... *Tres días más tarde...*
Al cap de quatre mesos... *Al cabo de cuatro meses...*
Fins al cap d'un any... *Hasta al cabo de un año...*
El 1934... *En 1934...*
A mitjan febrer... *A mediados de febrero...*
A partir d'aquest moment... *A partir de este momento...*

Adjectius

ateu/-atea *ateo*
autoritari/-ària *autoritario*
boig/boja *loco*
carca *carca*
comunista *comunista*
conservador/-ora *conservador*
cristià/-ana *cristiano*
generós/-osa *generoso*
liberal *liberal*
malenconiós/-osa *melancólico*
milionari/-ària *millonario*
miop *miope*
progressista *progresista*
reaccionari/-ària *reaccionario*
rondinaire *gruñón*
socialista *socialista*

Substantius

aparell *m aparato*
avantatge *f ventaja*
bales *f canicas*
bufetada *f bofetón*
colla *f grupo*
conte *m cuento*
costum *m costumbre*
emissió *f emisión*
moda *f moda*
nina *f muñeca*
vot *m voto*

Conjuncions i locucions conjuntives

però *pero*
malgrat *a pesar de*
a causa de | *a causa de / debido a*

EXERCICIS ESCRITS

A) **Torna a escriure aquestes frases fent servir els verbs** *fer-se* **o** *tornar-se* **segons convingui:**

Ex. — *S'ha rejovenit molt, l'Eulàlia!*
— *Que jove que* **s'ha tornat**, *l'Eulàlia!*

1 — Com se li han aclarit els cabells, a aquesta nena!
— ...., aquesta nena!

2 — L'altre dia vaig trobar en Marcel. S'ha envellit tant que no el coneixia.
— ...., en Marcel.

3 — Aquesta és l'Assumpta? Com ha crescut! És clar que, a aquesta edat, canvien molt en tres anys...
— ...., l'Assumpta, en tres anys!

4 — En Joaquim? Ara és milionari. No saps pas com s'ha enriquit en quatre dies!
— ...., en Joaquim!

5 — Tan morena que és ara, la Mercè, i tan rossa que era de petita!
— ...., la Mercè.

B) **Llegeix aquests fragments que parlen de tres persones que han sofert alguns canvis. Fes tres frases semblants a les de l'exemple que indiquin quins són aquests canvis que ha sofert.**

1 — La Carlota era una nena de dos anys, rossa i grassoneta, molt simpàtica i entremaliada. Ara és una noia morena, alta, bastant quieta i força antipàtica.

Ex. — *La Carlota* **s'ha fet gran**/*La Carlota* **ha crescut**.
— ..../..
— ..../..
— ..../..

2 — Sembla que ha guanyat molts diners, però aquest fet li ha canviat el caràcter: abans era molt alegre, i ara és molt malencònic, ha perdut la il·lusió. A més, sembla molt més gran del que és.

— ..../..
— ..../..
— ..../..

3 — Aquest de la fotografia és el meu gos. És un pointer. Quan me'l van regalar, el duia dins d'una capsa de sabates i ara, mira'l, amb prou feines cap a darrere del cotxe. A més, tenia el pèl molt més clar. Ah!, i no era tan rondinaire.

— ..../..
— ..../..
— ..../..

C) **Ordena els paràgrafs que et donem de manera que et quedi una narració seguida i posa els verbs entre parèntesis en el temps i la persona que els correspongui.**
Comença amb aquest paràgraf:

1. — Recordo que de petit sempre .... (anar) amb una colla en la qual tots .... (ser) més grans que jo. .... (tenir) uns enemics mortals, els del carrer de sota nostre, ...
....
....
....
....
....
....
....
....
....
....
....
....
....
....

2. — L'una és una vegada que, per Nadal, el meu avi em .... (regalar) uns patins; per a mi .... (ser) tot un esdeveniment.

3. — perquè .... (estar) enamorat d'una noia i ens .... (passar) tardes senceres en un bar. Hi ha dues coses que recordo especial-ment:

4. — era tot un campió. Jo, en canvi, no en .... (saber) gens: sempre .... (perdre).
Em recordo també que cap allà als setze o disset anys .... (fer) moltes campanes a l'institut,

5. — i sempre ens hi .... (barallar-se).
Jo .... (soler) sortir-ne bastant malparat.
El meu germà .... (acostumar) a jugar a bales;

6. — I l'altra és quan els meus pares .... (comprar) el televisor.
Jo .... (deure) tenir ben bé dotze o tretze anys i sempre que .... (poder) .... (anar) a casa d'uns veïns que en .... (tenir)

7. — per veure "Bonanza", "Rintintín" i aquestes coses. Em recordo que els primers temps només .... (esperar) que .... (arri-bar) el dissabte a la tarda per mirar la televisió.

SOLUCIÓ DELS EXERCICIS I TRANSCRIPCIÓ DELS DIÀLEGS

1. — DIÀLEG

Transcripció

SRA. MERCÈ:	Els he convidat a prendre cafè...
MIQUEL:	Per parlar de la pintura de l'escala? Vermella, no pot ser. Mira que se'n van dir, d'animalades, l'altre dia!
SRA. MERCÈ:	No, per parlar de la meva nebodeta Eulàlia. Se'n recorden?
MIQUEL:	Jo, no.
SRA. MERCÈ:	És que vostè no la coneix.
TONI:	Jo, sí. Era petita i dolenta.
SRA. MERCÈ:	S'ha fet gran. Han passat quatre anys. Ella ara en té catorze.
ALFONSO:	Ja? Com passa el temps!
SRA. MERCÈ:	Arriba avui. Fa esport i ha de participar en una competició de natació. Veuen que gran que s'ha fet?
MIQUEL:	Molt gran, sí. Sembla que tingui més de catorze anys.
SRA. MERCÈ:	Sí, s'ha convertit en una dona. Recordo quan es feia pipí. Sembla ben bé ahir. Té, i ara sembla que només pensa a nedar, a entrenar-se, a batre rècords i coses d'aquestes. Sí que passa el temps, sí. Ens fem vells.
TONI:	Sobretot vostè.
SRA. MERCÈ:	Exacte. Com que vostès són joves i ella també, he pensat que m'ajudaran a entretenir-la.
TONI:	Una criatura? Jo tinc molta feina a la facultat!
ALFONSO:	Jo en tinc amb el taxi!
MIQUEL:	I jo, amb els dibuixos de l'agència publicitària!
SRA. MERCÈ:	Que n'arriben a ser, d'amables! Estava segura que no em deixarien sola. Jo potser també seré amable i no els apujaré el lloguer fins d'aquí a sis mesos.
ALFONSO:	Pensava apujar-lo abans?
SRA. MERCÈ:	Si m'ajuden, no. Gràcies, gràcies. Quina il·lusió, tenir uns nois tan amables a casa!

Solució

1) *Té catorze anys.*
2) *Feia quatre anys.*
3) *En Toni recorda que era petita i dolenta.*
   La Sra. Mercè recorda que es feia pipí al llit.
4) *Els demana que l'ajudin a entretenir la seva neboda.*
5) *En Toni diu que té molta feina a la facultat.*
   L'Alfonso diu que té molta feina amb el taxi.
   En Miquel diu que té molta feina amb els dibuixos de l'agència publicitària.

7. — TE'N RECORDES?

Solució

1932 *El parlament espanyol aprova el primer Estatut d'Autonomia de Catalunya.*
1933 *Les dones poden votar per primera vegada a l'Estat Espanyol.*
1936 *Esclata la guerra civil a l'Estat Espanyol.*
1942 *Apareix el jeep, automòbil utilitzat per primera vegada per l'exèrcit dels Estats Units, durant la segona guerra mundial.*
1945 *Es llança la primera bomba nuclear sobre Hiroshima i Nagasaki.*

1948 *Se celebren els Jocs Olímpics a Londres.*

1953 *Pacte del govern franquista amb el dels Estats Units que permet la instal·lació de bases militars nord-americanes a l'Estat Espanyol a canvi d'ajut econòmic.*

1959 *S'emet a Barcelona, des dels estudis de Madrid, el primer programa de televisió.*

1962 *Mor l'actriu Marilyn Monroe.*

1964 *Els Beatles actuen a Barcelona.*

1969 *L'home arriba per primera vegada a la lluna.*

1971 *A Barcelona va ser retirada la darrera línia de tramvies de la xarxa urbana.*

1973 *Mor el pintor Pablo Ruiz Picasso.*

1977 *És reinstaurada la Generalitat de Catalunya.*

1981 *S'aprova la llei del divorci a l'Estat Espanyol.*

8. — b) **Solució**

12 d'abril de 1931	*Eleccions municipals favorables als republicans.*
14 d'abril de 1931	*F. Macià proclama la I República Catalana dins la Federació Ibèrica.*
17 d'abril de 1931	*Reinstauració de la Generalitat de Catalunya.*
2 d'agost de 1931	*Se sotmet a aprovació a Catalunya el primer Estatut d'Autonomia i s'aprova.*
9 de setembre de 1932	*Les Corts de Madrid aproven l'Estatut aprovat a Catalunya un any abans.*
Novembre de 1933	*Les dretes guanyen les eleccions a Madrid.*
25 de desembre de 1933	*Mor Francesc Macià.*
Octubre de 1934	*Se suspèn l'Estatut i s'empresona el Govern de la Generalitat.*
Febrer de 1936	*Les esquerres guanyen les eleccions.*
18 de juliol de 1936	*Es produeix un alçament militar contra la República (comença la Guerra civil espanyola).*
5 d'abril de 1938	*S'aboleix l'Estatut.*
Febrer de 1939	*Les tropes franquistes ocupen totalment Catalunya.*
15 d'octubre de 1940	*Lluís Companys és afusellat a Montjuïc.*

SOLUCIÓ DELS EXERCICIS ESCRITS

A) **Torna a escriure aquestes frases fent servir els verbs** *fer-se* **o** *tornar-se* **segons convingui:**

Ex. — *S'ha rejovenit molt, l'Eulàlia!*
— *Que jove que* **s'ha tornat**, *l'Eulàlia!*

1 — Com se li han aclarit els cabells, a aquesta nena!
— *Que rossa que s'ha tornat,* .... aquesta nena!

2 — L'altre dia vaig trobar en Marcel. S'ha envellit tant que no el coneixia.
— *Que vell que s'ha fet,* .... en Marcel.

3 — Aquesta és l'Assumpta? Com ha crescut! És clar que, a aquesta edat, canvien molt en tres anys...
— *Que gran/alta que s'ha fet,* .... l'Assumpta, en tres anys!

4 — En Joaquim? Ara és milionari. No saps pas com s'ha enriquit en quatre dies!
— *Que ric que s'ha fet,* .... en Joaquim!

5 — Tan morena que és ara, la Mercè, i tan rossa que era de petita!
— *Que morena que s'ha tornat,* ...., la Mercè.

B) **Llegèix aquests fragments que parlen de tres persones que han sofert alguns canvis. Fes tres frases semblants a les de l'exemple que indiquin quins són aquests canvis que han sofert.**

1 — La Carlota era una nena de dos anys, rossa i grassoneta, molt simpàtica i entremaliada. Ara és una noia morena, alta, bastant quieta i força antipàtica.

    — *La Carlota* **s'ha fet gran/***La Carlota* **ha crescut.**
    — *S'ha tornat morena/Se li han enfosquit els cabells*
    — *S'ha fet molt alta/Ha crescut molt*
    — *S'ha tornat quieta i antipàtica/Ha canviat de caràcter*

2 — Sembla que ha guanyat molts diners, però aquest fet li ha canviat el caràcter; abans era molt alegre, i ara és molt malencònic, ha perdut la il·lusió. A més, sembla molt més gran del que és.

  __ *S'ha fet ric/milionari   S'ha enriquit*
  __ *S'ha tornat malencònic   S'ha desil·lusionat*
  __ *S'ha fet molt gran/vell   S'ha envellit molt*

3 — Aquest de la fotografia és el meu gos. És un pointer. Quan me'l van regalar, el duia dins d'una capsa de sabates i ara, mira'l, amb prou feines cap a darrere del cotxe. A més, tenia el pèl molt més clar. Ah!, i no era tan rondinaire.

  __ *S'ha fet gros/gran   Ha crescut*
  __ *Se li ha tornat el pèl més fosc   Se li ha enfosquit el pèl*
  __ *S'ha tornat rondinaire*

C) **Ordena els paràgrafs que et donem de manera que et quedi una narració seguida i posa els verbs entre parèntesis en el temps i la persona que els correspongui. Comença amb aquest paràgraf:**

1. — Recordo que de petit sempre *anava* (anar) amb una colla en la qual tots *eren* (ser) més grans que jo. *Teníem* (tenir) uns enemics mortals, els del carrer de sota del nostre, ...
....
....
....
....

5. — i sempre ens hi *barallàvem*. Jo *solia* sortir-ne bastant malparat. El meu germà *acostumava* a jugar a bales;

4. — era tot un campió. Jo, en canvi, no en *sabia* gens: sempre *perdia*.
Em recordo també que cap allà als setze o disset anys *feia* moltes campanes a l'institut.

3. — perquè *estava* enamorat d'una noia i ens *passàvem* tardes senceres en un bar. Hi ha dues coses que recordo especialment:

2. — L'una és una vegada que, per Nadal, el meu avi em *va regalar* uns patins; per a mi *va ser* tot un esdeveniment.

6. — I l'altra és quan els meus pares *van comprar* el televisor.
Jo *devia* tenir ben bé dotze o tretze anys i sempre que *podia anava* a casa d'uns veïns que en *tenien*

7. — per veure "Bonanza", "Rintintín" i aquestes coses. Em recordo que els primers temps només *esperava* que *arribés* el dissabte a la tarda per mirar la televisió.

BIOGRAFIES
Fets i suposicions

Objectius comunicatius

L'objectiu d'aquesta unitat didàctica és aprendre a:

— Demanar i donar informació sobre la vida d'algú.
— Fer suposicions sobre la vida d'una persona.
— Comprovar l'origen d'una informació sobre una persona.

NOTES BIOGRÀFIQUES

En la unitat 31 d'aquest llibre ja vèiem com es demanava i es donava informació sobre una persona. En aquesta unitat veurem més exemples d'això mateix, però ara d'una manera més ampliada, ja que del que es tracta és d'aprendre a redactar una nota biogràfica sobre algun personatge conegut (vegeu també **Digui, digui.../1**, U. 11). Prenguem-ne com a model aquests tres.

Serrat, Joan Manuel (Barcelona 1943) Cantant. És perit agrícola. El 1960 compongué la seva primera cançó: *Una guitarra*; més tard formà un conjunt *amateur* i el 1962 ingressà en Els Setze Jutges com a membre número tretze. Debutà individualment a Barcelona (1965) i assolí aviat grans èxits amb discs de cançons, com *Ara que tinc vint anys*, *Cançó de matinada* (1966), *El drapaire*, *La tieta*, etc, de tipus poètic i de música melòdica. Inicialment cantà només en català; quan el 1968 fou seleccionat per a fer-ho en castellà al festival d'Eurovisió, provocà un escàndol en negar-se a cantar si no podia fer-ho en català; les autoritats espanyoles el substituïren aleshores per Massiel. Més tard, però, ha enregistrat també cançons en castellà —entre altres, ha musicat versos de Machado— i hi ha actuat. Ha assolit èxits a l'Olympia de París i a Amèrica Llatina. El 1975 s'exilià voluntàriament arran d'unes execucions per motius polítics; tornà l'any següent. Ha interpretat tres pel·lícules: *Palabras de amor* (1968), *La larga agonía de los peces fuera del agua* i *Mi profesora particular*. (RoA)

Ruiz i Rodríguez, Dídac (Màlaga 1881 — Tolosa de Llenguadoc 1959) Metge i escriptor. Era cosí de Pablo Ruiz Picasso i a la primeria del segle XX anà a Barcelona i aviat s'adaptà a la vida catalana i esdevingué un catalanista radical. Estudià medicina i col·laborà a "El Poble Català", "Un Enemic del Poble", "Papitu", etc. Fou d:rector del manicomi de Salt i la seva figura, estrabul·lada i anticonvencional, fou la base del *Jo! (Memòries d'un metge filòsof)* (1925), de Prudenci Bertrana. Escriví també en italià i francès sobre temes de frenologia, filosofia i psicologia. Entre d'altres, publicà *Fisiología del sueño* (1900), *Llull, maestro de definiciones* (1906), *Contes d'un filòsof* (1908), prologat per Maragall, *Del poeta civil i del cavaller* (1908-9), *Contes de glòria i d'infern, seguits dels diàlegs i màximes del Super-Crist* (1911), *Missatge a Macià* (1931), *El crim dels Reis Catòlics i la fi de la missió de Castella* (1931), *Represión mental en Alemania* (1933), sobre la persecució dels jueus, i *Vacunar es asesinar. Dejarse vacunar, suicidarse* (1935). S'exilià el 1939. (AMS)

Mata-Hari (Leeuwarden 1876 – Vincennes 1917) Nom amb què és coneguda *Margaretha Gertruida Zelle*, ballarina i espia holandesa. Muller d'un oficial de l'exèrcit colonial holandès, residí a Java uns quants anys, on s'interessà pel folklore indonesi, el 1908 s'establí a París com a ballarina i cortesana, i durant la Primera Guerra Mundial esdevingué agent del servei secret alemany. Condemnada a mort per un tribunal militar francès, fou afusellada.

Lèxic

assolir: *alcanzar, conseguir*	esdevenir: *convertirse*	muller: *esposa*
fou: (pret perf SER) *fue*	estrabul·lada: *alocada*	afusellada: *fusilada*
enregistrar: *grabar*	jueu: *judío*	
arran de: *a raíz de*		

Els Setze Jutges: Grup de cantants catalans aparegut el 1961 i considerat l'impulsor de la Nova Cançó. En van ser membres: M. Porter, J.M. Espinàs, R. Margarit, D. Abella, F. Pi de la Serra, G. Motta, M. del M. Bonet, R. Subirachs i Ll. Llach, entre d'altres.

Frenologia: Teoria mèdica sobre les localitzacions de les funcions cerebrals.

Fixa't que aquestes notes biogràfiques, tot i referint-se a persones de trajectòries ben diferents, mantenen una estructura similar.

— Nom i cognoms del personatge.
— Lloc i data de naixement (i lloc i data de defunció, si es tracta d'una persona ja morta).
— Professió i/o activitat per la qual és conegut.
— Relació cronològica de la trajectòria personal i professional (vincles familiars, estudis, llocs de residència, llocs de treball, etc.)
— Característiques més importants de la seva activitat, de les seves obres o de la seva actuació pública.
— Relació de les obres més significatives, si es tracta d'un autor (escriptor, músic, científic, filòsof, etc.).

Observa que en aquestes tres notes biogràfiques s'usa preferentment la forma simple del passat perfet (*compongué, ingressà, escriví, fou*, etc.) en comptes de la forma perifràstica (*va compondre, va ingressar, va escriure, va ser*, etc.). La forma simple del passat perfet, inusual en el llenguatge col·loquial del català central, s'usa freqüentment en un llenguatge literari formal, com és el cas d'aquest tipus de notes biogràfiques. Això no obstant, cal remarcar que fins i tot en aquest llenguatge la primera persona del singular (*cantí, perdí, dormí*, etc.) és pràcticament insòlita (llevat al País Valencià). La utilització de passat perfet simple en tercera persona és la més freqüent.

Observa la primera nota biogràfica.

*"El· 1960 **compongué** (...) més tard **formà** un conjunt amateur i el 1962 **ingressà** en els Setze Jutges (...)"*

Els verbs **formar** i **ingressar** són regulars i formen el pretèrit perfet segons el model que us donem a continuació; però el verb **compondre** (IND pres *componc/...*, SUBJ pres *compongui/...*, SUBJ imp *compongués/...*), que és de radical velaritzat, fa el pretèrit perfet amb aquest radical velar. Això no passa només amb el verb **compondre**, sinó amb quasi tots els verbs que presenten el fenomen de velarització.

Els models de conjugació del pretèrit perfet, en la seva forma simple, són els següents:

1a

CANT	AR
cant	í
	ares
	à
	àrem
	àreu
	aren

2a

TÉM	ER	COMPOND	RE
tem	í	compongu	í
	eres		eres
	é		é
	érem		érem
	éreu		éreu
	eren		eren

3a

DORM	IR
dorm	í
	ires
	í
	írem
	íreu
	iren

Fixa't que la irregularitat dels verbs velaritzats afecta només el radical, ja que les terminacions són les mateixes que les del model de la segona conjugació, a la qual pertany el verb **compondre**.

Hi ha alguns verbs irregulars que en el pretèrit perfet no segueixen cap model; p. ex. el verb **ser** fa **fui/fores/fou/fórem/fóreu/foren**; el verb **fer** fa **fiu/feres/féu/férem/féreu/feren**; el verb **escriure** fa **escriví** o **escriguí/escrivires** o **escrigueres/escriví** o **escrigué/** ... etc.

1. — A continuació tens les dades biogràfiques desordenades d'un altre personatge. Ordena-les de manera que et quedi una nota semblant a les anteriors i rescriu en forma de passat perfet simple els verbs que hi ha en passat perfet perifràstic.

Fregoli, Leopoldo (Roma 1867 — Viareggio, Toscana 1936)

— Va actuar sovint a Barcelona; un dels seus papers més celebrats era el dels tres lladres de la sarsuela *Gran Via*.
— Transformista i actor italià.
— Va realitzar diversos films muts (1896).
— Va debutar (1883) amb el grup amateur de Pietro Cossa.
— Es va retirar definitivament el 1925.
— Aviat es va especialitzar en la interpretació de diversos papers d'una mateixa obra, amb canvis de vestuari vertiginosos, fet que li va donar fama mundial.
— Hom empra el seu nom, popularment, per indicar algú que fa una acció amb una gran velocitat.

FETS I SUPOSICIONS

2. — En voler escriure les notes biogràfiques de Mireia Rossic, de Josep Maria Castellví i de Ramon Gimeno, s'han barrejat les dades dels tres personatges: algunes frases corresponen a la persona de la qual es parla, però d'altres corresponen a les altres dues. Ordena-les de manera que en resulti la nota biogràfica adequada a cada un d'ells.

Per ajudar-te a deduir la informació correcta, mira els dibuixos de cada personatge i escolta uns fragments de les converses telefòniques que manté cada un d'ells amb alguns membres de la seva família.

Nota: La informació que es dóna en una mateixa oració (de punt a punt) correspon sempre a una mateixa persona. Això vol dir que, p.ex., la persona que va néixer a Manresa, va néixer també el 8 d'agost de 1966, ja que aquestes dues dades formen part de la mateixa oració.

MIREIA ROSSIC

Va néixer a Manresa el 8 d'agost de 1966. Va estudiar el batxillerat als Salesians de Sant Boi. Quan tenia quatre anys, els seus pares es van traslladar a València i cinc anys més tard a Reus, on es van instal·lar definitivament. Allà va conèixer en Manel, un jove militant comunista amb qui va sortir fins al desembre de 1984. Després de la guerra, va haver de complir el servei militar obligatori en les files de l'exèrcit contra el qual havia lluitat. El 1945 va entrar a treballar com a peó en una fàbrica de gèneres de punt. Dos anys més tard va ascendir a cap de vendes per a l'estranger, dins de la mateixa empresa. L'any 1974 va conèixer Lluïsa Gaspart, amb qui es va casar al cap d'un any. Actualment viu a Reus amb la seva dona, ja que tots els seus fills són casats i viuen en altres ciutats.

JOSEP M. CASTELLVÍ

Va néixer a Múrcia el 22 de juny de 1920. Va estudiar el batxillerat a l'Institut de Manresa. L'any 1982, quan estudiava COU, es va afiliar a les Joventuts Comunistes de Catalunya.

El 1965 va ingressar a ESADE, on va estudiar Ciències Empresarials. Als catorze anys entrà a treballar com a aprenent en una fàbrica tèxtil, però el 1983 va haver de deixar la feina per incorporar-se al front, en el bàndol republicà. El 1949 es va casar amb Eulàlia Riussec, amb qui ha tingut quatre fills. El 1976 va néixer en Pau, el seu primer fill. Actualment viu en un pis del Barri Antic de Barcelona, amb dues amigues.

RAMON GIMENO

Va néixer a Sant Boi de Llobregat el 15 d'octubre de 1948. Allí va fer els estudis primaris. El 1983 es va matricular a la Facultat d'Història de la Universitat Autònoma. Un cop acabada la carrera, l'any 1971, va començar a treballar a diverses empreses de màrqueting. L'any 1977 va entrar a treballar en una important empresa de productes vinícoles de Sant Sadurní. El 1980 va néixer la seva filla Laia. El 1966 el van fer encarregat de la secció de confecció de la fàbrica, lloc que va ocupar fins a la seva jubilació, el 30 d'agost de 1985. Actualment viu a Barcelona, en una casa del barri de Sarrià.

Aquest exercici t'ha obligat a deduir una informació a partir d'uns indicis més o menys evidents. Mirant el dibuix i escoltant la conversa telefònica és fàcil suposar, posem per cas, que Mireia Rossic va néixer a Manresa el 8 d'agost de 1966. A vegades, però, uns simples indicis no ens permeten fer una afirmació amb aquesta mateixa seguretat. Aleshores ens hem de limitar a fer suposicions. Per expressar que no tenim una certesa absoluta d'un fet i que el que diem és una simple suposició solem usar fórmules com les següents:

Jo diria que ...
M'imagino que ...
Suposo que ...
DEURE + INF ...
Qui sap què/si/on ...
Vés a saber què/si/on ...

Jo diria que s'han separat.
M'imagino que ha canviat de feina.
Suposo que viu al mateix lloc.
Deuen haver-se canviat de pis.
Qui sap si va guanyar el concurs.
Vés a saber on han anat a parar.

Algú, però, pot voler saber què és el que ens ha portat a fer aquesta suposició. En aquest cas és probable que ens pregunti:

Per què dius que ...?	*Per què dius que és una poca-solta?*
(Per què dius això?)	
Per què ho dius, que ...?	*Per què ho dius, que és una poca-solta?*
(Per què ho dius, això?)	
Què és el que et fa pensar que ...?	*Què és el que et fa pensar que és de poble?*
(Què és el que t'ho fa pensar?)	
En què et bases?	
Estàs segur que ...?	*Estàs segur que és viatjant?*
(N'estàs segur?)	
Vols dir que ...?	*Vols dir que està jubilat?*

Per practicar aquestes fórmules, fes els exercicis següents:

3. — Completa el diàleg amb les expressions: *En què et bases ...?, Jo diria que ..., Per què ho dius, això?, Qui sap si ..., Vés a saber si ..., Vols dir que ...?,* tenint en compte que s'utilitzen totes i no se'n repeteix cap.

(1) A —Ahir vaig anar al teatre i hi sortia aquella actriu tan dolenta: la Mariona. Estava horrible i amb aquells cabells tan negres no sé què semblava.

(1) B — .... és morena? .... l'havia vista rossa.

(2) A —Ui sí, però d'això fa molts anys: era rossa i tenia les galtes rosades i els ulls rodons; però es va fer canviar de dalt a baix. I mira l'èxit que ha tingut.

(2) B —Sí, ... hauria triomfat sense aquest canvi.

(3) A —A mi em sembla que és l'única cosa que l'ha feta triomfar.

(3) B —.................................?

(4) A —Doncs perquè és tan mala actriu que només té èxit pel seu aspecte estrafolari.

(4) B —.................................. hauria triomfat amb la seva bellesa natural.

(5) A —Calla, dona, calla. Ni bellesa, ni natural, ni ... actriu.

(5) B — .... per fer aquestes afirmacions tan contundents?

(6) A —En totes les obres que li he vist; que si no fos perquè m'agrada anar al teatre, me l'hauria fet avorrir.

2 ⊕4. — PRÀCTICA D'ESTRUCTURES

Escolta el diàleg.

▶ Estàs segura que *m'han aprovat?*
—Sí, home, sí que n'estic segura.

Escolta i repeteix el diàleg anterior.

Practica-ho: Fes la pregunta del diàleg fent les substitucions que s'indiquen en el quadre següent.

m'han aprovat	→	vindran / ho va dir / m'he equivocat

Fixa't que en català davant de la conjunció **que** no es posa mai la preposició regida pel verb o per l'expressió anterior.

Estàs segur d'arribar a l'hora?*
Estàs segur que arribaràs a l'hora?*

3 5. — ENTONACIÓ I PRÀCTICA D'ESTRUCTURES

Escolta aquestes frases i repeteix-les, fixant-te que la introducció dels pronoms **ho** i **en** fa canviar la puntuació i l'entonació de la frase.

▶ **Per què dius que** *ha estat de sort?*
▶ **Per què ho dius, que** *ha estat de sort?*

Fixa't que el pronom **ho** és el substitut del complement directe *que ha estat de sort* i que la frase podria ser simplement *Per què ho dius?* El fet de repetir pronom i complement, per posar èmfasi en aquest complement, fa que l'entonació en surti afectada i que canviï la puntuació de la frase.

Practica-ho: Fes les dues intervencions substituint el que hi ha en cursiva pels verbs del quadre següent:

ha estat de sort	→	no vindran / m'he equivocat

Fes el mateix amb les frases següents:

Escolta i repeteix.

▶ **Què és el que et fa pensar que** *ha estat de sort?*
▶ **Què és el que t'ho fa pensar, que** *ha estat de sort?*

Practica-ho: Fes les dues intervencions amb les substitucions següents:

ha estat de sort	→	no vindran / m'he equivocat

La pràctica que ve a continuació és igual que les anteriors, però, en comptes del pronom **ho**, ara el pronom és **en**.

Escolta i repeteix

▶ **Estàs segur que** *ha estat de sort?*
▶ **N'estàs segur, que** *ha estat de sort?*

Practica-ho: Fes les dues intervencions efectuant els mateixos canvis.

ha estat de sort	→	no vindran / m'he equivocat

4⬚ **6. — PRÀCTICA D'ESTRUCTURES**

Escolta el diàleg

   —**Joan Manuel Serrat va néixer al Poble-sec?**
   ▶ **Sí que** *hi va néixer*.

Escolta i repeteix el diàleg.

Practica-ho: Respon la pregunta pronominalitzant l'element que tens en cursiva.

—Cortázar era *un escriptor*?
—Sí que ....
—Va treballar *a la UNESCO*?
—Sí que ....
—John Lennon es va casar *amb una japonesa*?
—Sí que ....
—Es va divorciar *de la seva primera dona*?
—Sí que ....
—Marilyn Monroe era *miop*?
—Sí que ....
—Pere Calders va viure *a Mèxic*?
—Sí que ....
—El seu pare va escriure *obres de teatre*?
—Sí que ....
—El 1981 Joan Manuel Serrat va enregistrar *el disc "Tal com raja"*?
—Sí que ....

7. — Escolta la cançó i omple els espais en blanc.

....
Vint anys i encara ....
....
i em sento bullir ....
I encara ....
de cantar si .... canta
Avui que encara ....
i encara puc creure en déus.

Vull cantar a les pedres, la terra, l'aigua,
el blat i el camí que vaig trepitjant.
........................, al cel, aquest mar tan nostre
i al vent que .... ve a besar-me el rostre.

Vull alçar la veu
per una ....
per un raig de sol
o pel rossinyol
....

(Tornada)

....
i el cor, encara, s'embala
....
o en veure un infant ....

El que et fa .... El que .... un dia.
Vull plorar amb aquells que ....
i sense .... van passant pel món.

....
per cantar als homes
que .... dempeus,
que .... dempeus
i que dempeus ....

Vull i vull i vull cantar
....
.... podré demà.

(Tornada)

LÈXIC, EXPRESSIONS I FRASES FETES

Verbs

actuar *actuar*
afiliar-se *afiliarse*
afusellar *fusilar*
ascendir *ascender*
assolir *alcanzar, conseguir*
compondre *componer*
condemnar *condenar*
emprar *emplear, usar*
enregistrar (un disc) *grabar*
esdevenir *convertirse en, volverse*
establir-se *establecerse*
exiliar-se *exiliarse*
ingressar *ingresar*
instal·lar-se *instalarse*
lluitar *luchar*
negar-se *negarse*
provocar *provocar*
substituir *sustituir*
traslladar-se *trasladarse*

Locucions prepositives

arran de *a raíz de*

actor/actriu *actor/actriz*
ànima *f alma*
aprenent/-a *aprendiz*
ballarí/-ina *bailarín*
bàndol *m bando*
cançó *f canción*
cantant *cantante*
cap de vendes *jefe de ventas*
espia *espía*
estranger/-a *extranjero*
execució *f ejecución*
exèrcit *m ejército*
força *f fuerza*
jubilació *f jubilación*
jueu/-eva *judío*
lladre *ladrón*
manicomi *m manicomio*
muller *f esposa*
peó *peón*
sang *f sangre*
sarsuela *f zarzuela*
servei secret *m servicio secreto*
tribunal *m tribunal*
vestuari *m vestuario*
veu *f voz*

SOLUCIÓ DELS EXERCICIS I TRANSCRIPCIÓ DELS DIÀLEGS

1. — Solució

Fregoli, Leopoldo (Roma 1867 — Viareggio, Toscana 1936). Transformista i actor italià. Debutà (1883) amb el grup amateur de Pietro Cossa. Aviat s'especialitzà en la interpretació de diversos papers d'una mateixa obra, amb canvis de vestuari vertiginosos, fet que li donà fama mundial. Actuà sovint a Barcelona; un dels seus papers més celebrats era el dels lladres de la sarsuela *Gran Via*. Realitzà diversos films muts (1896). Es retirà definitivament el 1925. Hom empra el seu nom, popularment, per indicar algú que fa una acció amb una gran velocitat.

2. — Transcripció

Mama? Sóc la Mireia. (...) Bé, mira, anar fent. I vosaltres? (...) Escolta, et truco per dir-te que no m'espereu aquest cap de setmana, que no vindré (...) Ja ho sé, que la setmana passada tampoc no vaig venir, però és que tinc exàmens i he d'estudiar. (...) No, no em quedo sola. La Dolors també es queda. (...) La Núria, no. La Núria vindrà a Manresa. (...) Per cert, que passarà per casa a buscar uns llibres. (...) Són uns llibres d'Història Moderna. (...) Sí, ella ja sap quins són. (...) A la meva habitació, ella ja els trobarà. (...) Que ha trucat en Manel? Un altre cop! Que pesat que és ...! Ja li vaig dir que no el volia tornar a veure ...

Lluïsa? Sóc jo, en Josep Maria ... Em sents? (...) No, és que jo no et sento gaire bé ... Et sento molt lluny ... Et truco des de l'hotel. (...) Sí, hi acabo d'arribar ara mateix. (...) El viatge? Bé, ha anat bé, però una mica massa llarg ... Són vuit hores de vol. (...) Aquí ara són les quatre de la tarda. (...) No, ara podré descansar. Fins demà no he d'anar a veure el representant. En Johnson em vindrà a buscar. (...) Sí, ja pots comptar ...! Tota la setmana amunt i avall veient clients i parlant de negocis. (...) No tindré temps de res, com sempre ... (...) Sí, jo també. (...) Que hi ha els nens per aquí? (...) Digue'ls que s'hi posin. (...) Hola, Pau. Què fas? (...) Ah, sí? I la Laia, què fa?

Digui? (...) Ah, hola, fill! Què, com esteu? Quan vindreu cap aquí? (...) Divendres? Molt bé. I els nens, què fan? Tinc moltes ganes de veure'ls. (...) Quants dies us quedareu? (...) Només? I per què no us hi esteu més dies, ara que teniu vacances? (...) Sí, feina, ja pots comptar ... Ara rai ... Des que m'he jubilat tinc temps per donar i per vendre (...) Sí, ja ho veus ... Tota la vida queixant-me de la fàbrica i ara que he plegat la trobo a faltar ...

Solució

MIREIA ROSSIC

Va néixer a Manresa el 8 d'agost de 1966. Va estudiar el batxillerat a l'Institut de Manresa. L'any 1982, quan estudiava COU, es va afiliar a les Joventuts Comunistes de Catalunya. Allà va conèixer en Manel, un jove militant comunista amb qui va sortir fins al desembre de 1984. El 1983 es va matricular a la Facultat d'Història de la Universitat Autònoma. Actualment viu en un pis del Barri Antic de Barcelona, amb dues amigues.

JOSEP M. CASTELLVÍ

Va néixer a Sant Boi de Llobregat el 15 d'octubre de 1948. Va estudiar el batxillerat als Salesians de Sant Boi. El 1965 va ingressar a ESADE, on va estudiar Ciències Empresarials. Un cop acabada la carrera, l'any 1971, va començar a treballar a diverses empreses de màrqueting. L'any 1974 va conèixer Lluïsa Gaspart, amb qui es va casar al cap d'un any. El 1976 va néixer en Pau, el seu primer fill. L'any 1977 va entrar a treballar en una important empresa de productes vinícoles de Sant Sadurní. Dos anys més tard va ascendir a cap de vendes per a l'estranger, dins de la mateixa empresa. El 1980 va néixer la seva filla Laia. Actualment viu a Barcelona, en una casa del barri de Sarrià.

RAMON GIMENO

Va néixer a Múrcia el 22 de juny de 1920. Quan tenia quatre anys, els seus pares es van traslladar a València i cinc anys més tard a Reus, on es van instal·lar definitivament. Allí va fer els estudis primaris. Als catorze anys entrà a treballar com a aprenent en una fàbrica tèxtil, però el 1938 va haver de deixar la feina per incorporar-se al front, en el bàndol republicà. Després de la guerra, va haver de complir el servei militar obligatori en les files de l'exèrcit contra el qual havia lluitat. El 1945 va entrar a treballar com a peó en una fàbrica de gèneres de punt. El 1949 es va casar amb Eulàlia Riussec, amb qui ha tingut quatre fills. El 1966 el van fer encarregat de la secció de confecció de la fàbrica, lloc que va ocupar fins a la seva jubilació, el 30 d'agost de 1985. Actualment viu a Reus amb la seva dona, ja que tots els seus fills són casats i viuen en altres ciutats.

3. — Solució

(1) B —*Vols dir que ...? Jo diria que ...*
(2) B —*Vés a saber si ...? / Qui sap si ...*
(3) B —*Per què ho dius, això?*
(4) B —*Qui sap si ... / Vés a saber si ...*
(5) B —*En què et bases ...*

7. — Transcripció

Fa vint anys que tinc vint anys.
Vint anys i encara *tinc força*
i no tinc l'ànima morta
i em sento bullir *la sang*.
I encara *em sento capaç*
de cantar si *un altre* canta.
Avui que encara *tinc veu*
i encara puc creure en déus.

Vull cantar a les pedres, la terra, l'aigua,
el blat, i el camí que vaig trepitjant.
A la nit, al cel, aquest mar tan nostre
i al vent que *al matí* ve a besar-me el rostre.

Vull alçar la veu
per una *tempesta*
per un raig de sol
o pel rossinyol
que ha de cantar al vespre.

(Tornada)

Fa vint anys que tinc vint anys
i el cor, encara, s'embala
per un moment d'estimar
o en veure un infant *plorar*.

Vull cantar a l'amor. El primer. El darrer.
El que et fa *patir*. El que *vius* un dia.
Vull plorar amb aquells que *es troben tots sols*
i sense *cap amor* van passant pel món.

Vull alçar la veu
per cantar als homes
que *han nascut* dempeus,
que *viuen* dempeus
i que dempeus *moren*.

Vull i vull i vull cantar
avui que encara tinc veu
qui sap si podré demà.

(Tornada)

PAÏSOS I GENT

Objectius comunicatius

L'objectiu d'aquesta unitat és aprendre a:

— Comprendre diàlegs senzills expressats en la varietat dialectal baleàrica.

— Fer apreciacions globals sobre grups de persones (nacionalitats, signes del zodíac, etc.)

EL CATALÀ DE LES ILLES

Com passa amb totes les llengües, el català es parla de manera diferent en llocs diferents. Això no ens ha d'estranyar gens: ningú no gosaria dir que un americà de Connecticut no parla la mateixa llengua que un anglès de Sheffield, encara que, entre la manera de parlar-la de l'un i de l'altre, sigui fàcil de trobar-hi unes diferències ben clares tant en la pronunciació com en l'ús de determinades paraules o expressions. També notaríem diferències acusades entre el castellà d'una persona de Montevideo i el castellà d'un cordovès, i tanmateix, mai no deixaríem d'afirmar que tots dos parlen la mateixa llengua.

A les Illes Balears es parla català. Un català diferent del que es parla a Girona o del que puguem sentir a Castelló, a Lleida o a Perpinyà, però tan català com el d'aquests altres llocs. El curs **Digui, digui...** es basa en la varietat dialectal anomenada central, és a dir, en el català que es parla des de la comarca del Barcelonès fins a la del Berguedà i des de l'Empordà fins al Baix Camp. Però convé que qualsevol persona que segueixi aquest curs, encara que solament estigui interessada a usar la modalitat dialectal central —la de més importància des del punt de vista demogràfic— tingui una mínima informació sobre les altres varietats. En aquesta unitat veurem alguns dels trets peculiars que més caracteritzen el parlar baleàric, amb l'única intenció de donar-ne una primera i ràpida notícia. L'aprenent que vulgui aprofundir en el coneixement d'aquesta o d'altres formes dialectals del català pot demanar informació bibliogràfica al centre Multimèdia que tingui més a la vora.

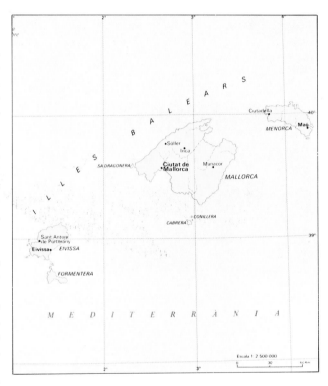

1. — DIÀLEG

En Biel, germà d'en Toni, ha vingut de Mallorca per passar uns quants dies a Barcelona. En Toni li presenta la Carme i en Miquel en un bar.

Escolta el diàleg.

TONI: Aquest és es meu germà Biel. Biel, això és es meu amic.

MIQUEL: Francament, Toni, tractar-me d'això, com si fos un objecte …

CARME: Planxa, noi. A Mallorca ho diuen d'aquesta manera.

MIQUEL: De debò? Perdoneu.

BIEL: Què noms, tu?

MIQUEL: Que què, jo?

CARME: Que com et dius. Que quin nom és el teu, Miquel.

TONI: Miquel, no és tan difícil d'entendre.

BIEL: Noms Miquel, entesos. I sa teva al·lota?

CARME: No sóc ben bé la seva al·lota, i em dic Carme.

BIEL: Idò, què et passa? No et trobes bé?

MIQUEL: Gens. Ho has notat? Potser necessitaria repòs. Seria molt greu que la Carme em dugués a casa seva a descansar?

CARME: Et trobes perfectament. Miquel, fes bondat.

TONI: Pobre al·lot! Va néixer a Veneçuela i fa pocs mesos que viu aquí. No és culpa seva.

BIEL: Ah, diuen que es veneçolans són calmosos, com noltros es mallorquins. Cambrer, mem si dus més xampany! Anam a ballar, després? O ball o em mor, aquesta nit.

MIQUEL: Perdó, eh?, però què vol dir o ball o em mor? Pots tornar a repetir-ho, sisplau?

CARME: Estàs una mica estúpid, aquesta nit, fill meu. O ball, o em mor. O ballo o em moro: més clar, l'aigua.

2. — Escolta de nou algunes de les frases que han dit en Toni i en Biel. Fixa't en la seva pronunciació. Posa atenció, sobretot, en la pronunciació de les vocals.

TONI: *Aquest és **es** meu germà Biel.*

TONI: **Això** *és **es** meu amic.*

BIEL: **Què noms**, *tu?*

BIEL: *I* sa *teva* **al·lota?**

BIEL: **Idò**, *què et passa?*

BIEL: *Diuen que es veneçolans són calmosos com* **noltros es** *mallorquins.*

BIEL: *Cambrer,* **mem** *si* **dus** *més xampany!*

BIEL: *O* **ball** *o em* **mor.**

3 3. — Com pots observar, tant en la pronunciació com en l'ús de determinades paraules existeix una lleugera diferència entre la manera de parlar dels dos joves mallorquins i la de la Carme i en Miquel. Escolta de nou les mateixes frases i fixa't com diria això un català de Barcelona.

—*Aquest és* **es** *meu germà Biel* = *Aquest és* **el** *meu germà Biel*.
—*Això és* **es** *meu amic* = **Aquest** *és* **el** *meu amic*.
—**Què noms,** *tu?* = **Com et dius,** *tu?*
—*I* **sa** *teva* **al·lota?** = *I* **la** *teva* **xicota?**
—**Idò**, *què et passa?* = **I doncs**, *què et passa?*
—*Diuen que* **es** *veneçolans són calmosos com* **noltros** **es** *mallorquins* = *Diuen que* **els** *veneçolans són calmosos com* **nosaltres els** *mallorquins*.
—*Cambrer,* **mem** *si* **dus** *més xampany!* = *Cambrer,* **vejam** *si* **portes** *més xampany!*
—*O* **ball** *o em* **mor** = *O* **ballo** *o em* **moro**.

Entre el català que es parla a les Illes i el que es parla a l'àrea central de Catalunya encara hi ha algunes altres diferències.
En el requadre següent trobaràs un resum d'algunes de les més rellevants.

ALGUNES CARACTERÍSTIQUES DEL PARLAR BALEÀRIC

L'article personal: **en, na, n'**	Ex. **en** *Biel,* **n'***Andreu,* **na** *Margalida,* **n'***Aina*
L'article salat: (masc. sing.) **es, s'**	Ex. **es** *llapis,* **s'***arbre* (= *el llapis, l'arbre*)
(fem. sing.) **sa, s'**	Ex. **sa** *casa,* **s'***avinguda* (= *la casa, l'avinguda*)
(masc. pl.) **es, ets**	Ex. **es** *llapis,* **ets** *homes* (= *els llapis, els homes*)
(fem. pl.) **ses**	Ex. **ses** *cases* (= *les cases*)
La 1a persona sing. del present d'indicatiu	Ex. **ball, parl, menj** (= *ballo, parlo, menjo*)
La 1a persona pl. del present d'indicatiu	Ex. **ballam, parlam, menjam** (= *ballem, parlem, mengem*)
La col·locació dels pronoms febles.	Ex. *Per què no* **la me** *presentes?* (= *Per què no* **me la** *presentes?*)
Algunes expressions com:	**Això és en** *Miquel* (= *Aquest és en Miquel*)
	Què noms? (= *Com et dius?*)
	Fer feina (= *Treballar*)

Algunes paraules com:

al·lot/-a (= *noi, noia*)	**capell** (= *barret*)
anit (= *aquesta nit*)	**granera** (= *escombra*)
arena (= *sorra*)	**horabaixa** (= *tarda, última hora de la tarda*)
ca (= *gos*)	
calces (= *mitges*)	**moix/-a** (= *gat/-a*)
	nin/-a (= *nen/a*)
	torcaboques m (= *tovalló*)

Escolta els diàlegs següents i escriu a sota de cada dibuix el número del diàleg que li correspon.

DIÀLEG ...

DIÀLEG ...

DIÀLEG ...

DIÀLEG ...

DIÀLEG ...

LES ILLES BALEARS

5. — *Llegeix aquest text i contesta les preguntes que hi ha al final de la pàgina.*

Situació

Les Illes Balears són un arxipèlag situat a l'oest de la Mediterrània occidental, format per les illes de Mallorca, Menorca, Eivissa, Formentera, Cabrera i d'altres petites: 189 illots amb nom i més de 70 sense. El total dóna una superfície de 5.014 km².
Les Balears emergeixen amb una arquitectura física plena de contrastos, que fa de cada illa un microcosmos on la varietat del paisatge, malgrat la seva extensió reduïda, sembla una reducció a escala de les comarques i les regions continentals. Són illes petites: la més gran, Mallorca, només té 3.640,16 km², que és el 72% del total de les Balears. El total de la població de les illes és de 655.909 habitants (cens de 1981).

Una mica d'història

A les Illes, hi podem trobar restes de monuments megalítics de temps prehistòrics. Són molt coneguts els "talaiots", les "taules" i la "Naveta des Tudons". Els pobles més il·lustres de l'antiguitat també passaren per les Illes: els fenicis, els grecs, els cartaginesos, els romans, els vàndals, els bizantins i, finalment, els àrabs, els quals hi deixaren molts senyals de la seva civilització. Però un fet que determinà del tot la història de les Balears és el que es produí a partir de l'any 1229, quan Jaume I el Conqueridor, rei d'Aragó, conquistà Mallorca i l'annexionà a la corona d'Aragó. Eivissa fou conquistada el 1235, i Menorca, per Alfons II de Catalunya-Aragó, el 1287. De l'illa de Menorca cal remarcar el fet que va pertànyer a la sobirania britànica des de 1712 fins a 1802, com a conseqüència directa del tractat d'Utrecht. Sota el regnat de Jaume I el Conqueridor i dels seus successors, els catalans dugueren una política de repoblació: és per això que a les Illes es parlen diverses varietats del català —mallorquí, menorquí i eivissenc— amb unes característiques pròpies que s'han anat accentuant a causa del seu aïllament geogràfic.
Si avancem en el pas de la història i ens endinsem en el segle XX, cal remarcar alguns dels fets més rellevants esdevinguts a les Balears. Arran de la proclamació de la segona República (abril de 1931) es va iniciar la preparació d'un avantprojecte d'Estatut d'Autonomia que no va reeixir a causa de rivalitats polítiques i per desavinences entre les illes. La guerra del 1936-39 tingué una evolució diferent a les tres illes: mentre a a Mallorca i a Eivissa triomfà l'alçament militar, Menorca fou fidel a la legalitat republicana.
La història més recent de les Balears ha culminat amb l'aprovació del seu Estatut d'Autonomia i la creació de les institucions d'autogovern (Consells insulars i Consell interinsular).

Economia

Amb l'esclat del turisme a l'Estat Espanyol als anys 50, les Illes Balears esdevenen un dels centres turístics més importants d'Europa. El turisme, juntament amb subsectors industrials lligats als serveis turístics —construcció, auxiliars, fusteria, alimentació, begudes, etc.— i la rehabilitació d'antigues artesanies —fabricació de sabates, pell, cuiro, bijuteria, etc.— són la font d'ingressos més importants per a l'economia de les Illes.

Alguns personatges il·lustres

Ramon Llull (filòsof i escriptor), Fra Juníper Serra (colonitzador de Califòrnia), Antoni M. Alcover (lingüista), Joan Alcover (poeta), Miquel Costa i Llobera (poeta), Llorenç Villalonga (escriptor), Francesc de B. Moll (lingüista, editor i escriptor), Baltasar Porcel (escriptor).

a) On estan situades les Illes Balears?
b) Quantes illes configuren l'arxipèlag?
c) Quina és l'illa més gran?
d) Quin és el fet que determinà la història de les Illes en el segle XIII?
e) Quins fets remarcaries del segle XX?
f) Quins són els principals recursos econòmics de les Illes?
g) Escriu el nom d'algun personatge il·lustre de les Illes.

PAÏSOS I GENT

Però en aquesta unitat no parlarem solament dels illencs. Veurem també diferents maneres de parlar de la gent que viu en altres països. I començarem per veure quin nom reben els habitants de diversos països o regions. Anomenem "gentilicis" els noms amb què designem les persones en relació al seu lloc de procedència (països, regions, comarques, ciutats, pobles).

Un gentilici es forma afegint al nom del lloc de procedència una terminació o *sufix* que equival a l'expressió "natural de", "nascut a", "procedent de". Els *sufixos* més productius en català són els següents:

-à / -ana	-ès / -esa	-í / -ina	-enc / -enca

Ex. *català* (f *catalana*), *americà, africà, andorrà, algerià, asturià, australià, colombià, cubà, iranià, israelià, italià, mexicà, murcià, napolità, occità, paraguaià, peruà, uruguaià, valencià,* etc.

Ex. *alguerès* (f *algueresa*), *aragonès, barcelonès, lleonès, navarrès, portuguès, rossellonès, danès, escocès, finlandès, francès, gal·lès, holandès, hongarès, irlandès, japonès, polonès, romanès, xinès,* etc.

Ex. *alacantí* (f *alacantina*), *barceloní, gironí, mallorquí, menorquí, argentí, filipí, marroquí, palestí, iraquí,* etc.

Ex. *castellonenc* (f *castellonenca*), *eivissenc, terrassenc, sabadellenc, canadenc, flamenc, guatemalenc, londinenc, nicaragüenc, parisenc, salvadorenc, tunisenc,* etc.

Altres gentilicis: Brasiler/-era, porto-riqueny/-a, espanyol/-a, jueu/-jueva, israelita, moscovita, britànic/-a, noruec/-ega, suec/-eca, alemany/-a, suís/suïssa, indi/índia, rus/russa, gallec/-ega, grec/grega, iugoslau/-ava, àrab, turc/-a, andalús/-usa, basc/-a, belga, txec/-a (o txecoslovac/-a).

No hi ha regles establertes per saber quan cal usar un sufix o un altre, com passa també en altres llengües. Cal guiar-se per l'ús.

6. — **Escriu al costat de cada dibuix el gentilici corresponent, d'acord amb el país d'origen de cada una d'aquestes persones.** Ex.: *És de Noruega. És noruec.*

> Noruega: noruec/-ega
> Irlanda: irlandès/-esa
> Canadà: canadenc/-a
> Brasil: brasiler/-era
> Perú: peruà/-ana
> Marroc: marroquí/-ina
> Suïssa: suís/-ïssa
> França: francès/-esa
> Índia: indi/índia
> Anglaterra: anglès/-esa
> Argentina: argentí/-ina
> Guinea: guineà/-ana
> Israel: israelià/-iana

Sobre els habitants de cada país es fan córrer tòpics, moltes vegades basats en el desconeixement o en un mal coneixement de la personalitat d'un poble. Així es diu que els catalans som treballadors, però tancats i gasius. Una fama semblant pel que fa a l'amor als diners s'atribueix als escocesos. Dels espanyols es diu que són altius i envejosos. Dels francesos, que són elegants i pedants. Dels anglesos es destaca la seva flegma i el seu humor distant. Dels nord-americans, el seu infantilisme. Dels italians, el seu temperament extrovertit i cridaner. I així, d'un en un, a cada país, cada nació, cada regió i cada poble se li ha anat atribuint, no sempre justament, un seguit de virtuts i defectes. Virtuts i defectes que gairebé mai no coincideixen amb les virtuts i els defectes particulars de cada un dels seus habitants.

7. — **Aquí tens una breu fitxa personal d'algunes persones nascudes en països diferents. Llegeix la informació que es dóna de cada un d'ells, i, segons aquesta informació, corregeix els errors que hi hagi en les frases de la pàgina següent.**

Nom: Aida Okazi
Nacionalitat: Japonesa
Edat: 28 anys.
Viu a Barcelona des de fa 10 anys. Parla japonès, anglès, castellà i català. És una persona afectuosa, riallera i molt extrovertida. Treballa en un restaurant i és molt aficionada a la fotografia.

Renata Contini és de Florència (Itàlia)
Treballa en una fàbrica de sabates. És morena, baixa i molt introvertida. Estudia anglès i l'any que ve vol anar a fer de "au pair" a Anglaterra: és un país que li agrada molt.

John Iron va néixer a Nova York (EUA). És fill de mare cubana i pare nord-americà. Treballa a la General Motors (Detroit). És un gran aficionat al rugbi i a l'hoquei sobre gel i és amant de la bona cuina. És molt sociable.

Hanna Faber viu a Frankfurt. Treballa en una agència publicitària com a dissenyadora gràfica. És molt cordial, simpàtica i sentimental.
Li agrada viatjar. Grècia i Itàlia són els països que més l'apassionen, perquè troba que la seva gent és molt hospitalària.

Nom: Vladimir Ivanof
Edat: 37 anys.
Cabell: ros
Ulls: verds
Població: Leningrad.
Caràcter: conformista, desconfiat, escèptic i racional.
Professió: Programador d'ordinadors.

Andreas Kanaris va néixer a Candia (Creta) l'any 1954. Fa de recepcionista a l'hotel Zorbàs. Està molt enamorat de la seva terra. És molt vital, extrovertit, xerraire i hospitalari.

a) John Iron fa de recepcionista a l'Hotel Zorbàs.

....

b) Hanna Faber és molt introvertida.

....

c) Vladimir Ivanof és una persona afectuosa, riallera i molt extrovertida.

....

d) Aida Okazi treballa en una agència publicitària com a dissenyadora gràfica. És una persona molt seriosa.

....

e) Renata Contini és una persona molt extrovertida i treballa en un restaurant.

....

5 8. — PRÀCTICA D'ESTRUCTURES

Escolta el diàleg

—D'on és aquest noi?

► **És de** *Noruega.* **És un** *noruec* **molt** *simpàtic.*

Escolta i repeteix

Practica-ho: Substitueix les paraules en cursiva per les que hi ha en aquest quadre.

... Noruega.	... simpàtic.
... Anglaterra.	... cordial.
... Israel.	... espavilat.
... Perú.	... hospitalari.
... Brasil.	... ensopit.
... Canadà.	... cregut.

LÈXIC, EXPRESSIONS I FRASES FETES

Vegeu altres adjectius per descriure la manera de ser d'una persona.

actiu/-iva *activo*	hospitalari/-ària *hospitalario*
ambiciós/-osa *ambicioso*	intel·lectual *m f intelectual*
apassionat/-ada *apasionado*	imaginatiu/-iva *imaginativo*
apàtic/-a *apático*	introvertit/-ida *introvertido*
confiat/-ada *confiado*	intuïtiu/-iva *intuitivo*
desconfiat/-ada *desconfiado*	irònic/-a *irónico*
conformista *m f conformista*	passional *m f pasional*
cordial *m f cordial*	racional *m f racional*
cregut/-uda *creído*	rialler/-a *risueño*
escèptic/-a *escéptico*	sensible *m f sensible*
emprenedor/-a *emprendedor*	sentimental *m f sentimental*
ensopit/-ida *soso, aburrido*	sincer/-a *sincero*
espavilat/-ada *despierto/espabilado*	sociable *m f sociable*
extrovertit/-ida *extrovertido*	trempat/-ada *simpático, despierto, jovial*
generós/-osa *generoso*	xerraire *m f charlatán*
honest/-a *honesto*	vital *m f vital*

EXERCICIS ESCRITS

A) **Endevina qui és aquest personatge i escriu quins trets remarcaries de la seva personalitat.**

LA DONA MISTERIOSA

Va arribar a aquest món el 27 d'abril de 1947.
La seva primera gran afició va ser la ceràmica popular. Per això va començar a estudiar a l'Escola d'Arts i Oficis de Palma. En aquesta època, a més de dedicar-se a la ceràmica, a estones lliures canta cançons acompanyada d'una guitarra. Les seves primeres cançons, les canta per a la família o bé en alguna reunió d'amics. Actua per primera vegada en públic a la plaça del seu poble. A la fi, als divuit anys es planta a Barcelona a casa d'uns amics de la família, els Serrahima, i s'inscriu a l'Escola Massana de Barcelona. De seguida s'integra als Setze Jutges, una colla de cantants formada per Lluís Llach, Rafael Subirachs i ella mateixa entre altres. Cada cop la criden per a més actuacions. La qüestió és que un bon dia deixa l'Escola Massana i continua fent ceràmica al taller que en Jordi Aguadé té a Horta (Barcelona). Deixa també la casa dels Serrahima i s'instal·la prop del lloc on treballa. Tot això coincideix amb l'enregistrament dels seus primers discos. Arriba un moment que ha de prendre una decisió sobre el seu futur i definitivament es queda amb la cançó. Curiosament, comença a aprofundir en les coses del seu país i a valorar-les quan és a Barcelona. "La distància em va ajudar a conèixer el meu propi país, potser per la sensació de perspectiva, de mirar-te les coses una mica des de fora".
El seu pare és periodista i crític. Quan li demanen una crítica severa de la seva filla ens diu que "no pot ser massa severa, perquè ella té una manera de treballar molt ferma. És molt perfeccionista, molt exigent. A mi em sembla que encerta en tot. Aquest amor entranyable a allò que és seu, a la terra, a tot el que és popular... trobo que és un camí bonic i útil. El que passa és que aquesta manera de ser tan treballadora i tan exigent, per a mi és un mal exemple, perquè sóc molt mandrós. Però en fi..."
Encara que sigui un mal exemple per al seu pare, l'evolució, el constant perfeccionament i el rigor en el treball són el nord que orienta la seva trajectòria.

J.R. Mainat. *Tretze que canten*, ed. Mediterrània. S.A. Barcelona (Adaptació)

B) **Aquí tens un seguit de frases escrites en mallorquí col·loquial. Escriu-les de nou, però en la variant del català central.**

1. — Què noms?
   — ....

2. — Això és es meu amic Rafel.
   — ....

3. — A s'horabaixa anirem a sa platja.
   — ....

4. — N'Assumpta durà s'aigo i n'Agustí es vi.
   — ....

5. — Es veneçolans són calmosos com es mallorquins.
   — ....

6. — Faig molta feina i menj i dorm poc.
   — ....

7. — Amb què hi anam? Amb so cotxo de na Neus o amb so tren?
   — ....

8. — Sa llibreta, la te duré anit.
   — ....

SOLUCIÓ DELS EXERCICIS I TRANSCRIPCIÓ DELS DIÀLEGS

4. — DIÀLEGS

DIÀLEG 1

NOI 1: Com anam?
NOI 2: Un poc avorrits.
NOI 1: Això és sa meva cosina Aina. Aina, això és en Tomeu.
NOI 2: Hola!
NOI 1: N'Andreu.
NOI 3: Hola!
NOI 1: Na Maria.
NOIA: Hola!

Solució
Dibuix C

DIÀLEG 2

NOI: Qui és aquella al·lota?
NOIA: Qui?
NOI: Sa que du es capell verd i unes calces també verdes, i que passeja un ca.
NOIA: És n'Assumpta, sa germana d'en Pep.
NOI: Per què no la me presentes?

Solució
Dibuix D

DIÀLEG 3

NOI: Bon dia, senyora. En què la puc servir?
NOIA: Voldria un passatge d'avió per a Barcelona.
NOI: Per a quin dia?
NOIA: Per dilluns a s'horabaixa.
NOI: A les sis i mitja, va bé?
NOIA: Sí. Molt bé.
NOI: Què nom?
NOIA: Pilar Cabot.

Solució
Dibuix A

DIÀLEG 4

NOI 1: Agafam es cotxo o no?
NOI 2: Sí, millor, perquè és un poc lluny.
NOIA 1: Al final on anam?
NOI 1: Anam a ballar en es "Mambo"
NOIA 2: Però si es diumenge en sa nit està tancat!
NOI 2: És ver. Es diumenge tanquen.
NOIA 1: Anem a sa discoteca nova: també mos ho podem passar bé.
NOI 2: Bona idea!

Solució
Dibuix E

DIÀLEG 5

NOI: S'aigo, on la pos?
NOIA: A sa gelera.
NOI: Es torcaboques de paper, els deix damunt sa taula?
NOIA: Sí
NOI: I sa granera?
NOIA: Defora, en es pati. Ets ous, els deixes damunt sa pica, que farem una truita de ceba per sopar.
NOI: Saps que demà no faig feina?
NOIA: I això?
NOI: Demà és es patró de sa nostra escola i feim festa. Faig comptes de dormir tot lo dematí i a s'horabaixa anar a sa platja a veure la mar, que fa molts de dies que no la veig.
NOIA: Quina sort! En canvi, jo demà faig feina dematí i capvespre perquè, com que som a finals de mes, en es despatx no donam l'abast.

Solució
Dibuix B

5. — TEXT (ILLES BALEARS)

Solució

a) Estan situades a l'oest de la Mediterrània occidental.
b) L'arxipèlag està format per les illes de Mallorca, de Menorca, d'Eivissa, de Formentera, de Cabrera i d'altres de més petites: 189 illots amb nom i més de 70 sense.
c) L'illa més gran és Mallorca (3640,16 km^2)
d) Les illes van ser conquerides i annexionades a la corona de Catalunya-Aragó (Mallorca, 1229; Eivissa, 1235; i Menorca 1287).
e) La preparació d'un avantprojecte d'Estatut d'Autonomia a partir de l'any 1931. L'esclat de la guerra i les diferents posicions de les illes davant l'enfrontament: a Mallorca i a Eivissa va triomfar l'alçament militar, i Menorca va ser fidel a la legalitat republicana. L'aprovació de l'Estatut d'Autonomia i la creació de les institucions d'autogovern (Consells insulars i Consell interinsular).
f) El turisme, la indústria lligada als serveis turístics i l'artesania són la font d'ingressos més importants per a l'economia de les illes.
g) Ramon Llull (filòsof i escriptor), Fra Juníper Serra (colonitzador de Califòrnia), Antoni M. Alcover (lingüista), Joan Alcover (poeta), Miquel Costa i Llobera (poeta), Llorenç Villalonga (escriptor), Baltasar Porcel (escriptor).

6. — GENTILICIS

Solució

Dibuix a (marroquí)
Dibuix b (brasiler)
Dibuix c (irlandès)
Dibuix d (suís)
Dibuix e (indi)
Dibuix f (argentí)
Dibuix g (guineà)
Dibuix h (canadenc)

7. — **Solució**

   a) John Iron treballa a la General Motors (Detroit)
   b) Hanna Faber és molt cordial, simpàtica i sentimental.
   c) Vladimir Ivanof és una persona conformista, desconfiada, escèptica i racional.
   d) Aida Orazi treballa en un restaurant. És una persona afectuosa, riallera i molt extrovertida.
   e) Renata Contini és una persona molt introvertida. Treballa en una fàbrica de sabates.

SOLUCIÓ DELS EXERCICIS ESCRITS

A) **Endevina qui és aquest personatge i escriu quins trets remarcaries de la seva personalitat.**

   És la cantant M. del Mar Bonet. És una persona molt perfeccionista, molt exigent i molt treballadora.

B) **Aquí tens un seguit de frases escrites en mallorquí. Escriu-les de nou, però en la variant del català central.**

   1. — Què noms?
      — *Com et dius?*

   2. — Això és es meu amic Rafel.
      — *Aquest és el meu amic Rafel.*

   3. — A s'horabaixa anirem a la platja.
      — *Al vespre anirem a la platja.*

   4. — N'Assumpta durà s'aigo i n'Agustí es vi.
      — *L'Assumpta portarà l'aigua i l'Agustí el vi.*

   5. — Es veneçolans són calmosos com es mallorquins.
      — *Els veneçolans són calmosos com els mallorquins.*

   6. — Faig molta feina i menj i dorm poc.
      — *Treballo molt i menjo i dormo poc.*

   7. — Amb què hi anam? Amb so cotxo de na Neus o amb so tren?
      — *Amb què anem? Amb el cotxe de la Neus o amb el tren?*

   8. — Sa llibreta, la té duré anit.
      — *La llibreta, te la portaré aquesta nit.*

BUSCANT PIS
Compra i lloguer de pisos

Objectius comunicatius

L'objectiu d'aquesta unitat didàctica és aprendre a:

— Descriure un habitatge especificant-ne les dimensions, el nombre d'habitacions que té, la seva distribució i els condicionaments interns i externs (estat de les instal·lacions, de la pintura, si està ben o mal comunicat, etc.).
— Parlar sobre les condicions de compra d'un habitatge (preu, sistemes de pagament, etc.).
— Fer valoracions positives o negatives sobre diversos tipus d'habitatge i sobre diversos sistemes de pagament.

INFORMACIÓ SOBRE CARACTERÍSTIQUES D'UN HABITATGE

 1. — DIÀLEG

La Carme va amb en Miquel a una immobiliària perquè es vol comprar un pis.

Escolta el diàleg i marca la resposata correcta a les preguntes següents, d'acord amb el que has escrit.

1) Quin tipus de pis vol la Carme?

    a) Un pis de lloguer, d'uns 90 metres quadrats.
    b) Un pis de lloguer, d'uns 190 metres quadrats.
    c) Un pis de compra, d'uns 190 metres quadrats.
    d) Un pis de compra, d'uns 90 metres quadrats.

2) Quina condició és la més important per a ella?

    a) Que sigui solitari i que no hi hagi soroll.
    b) Que hi toqui el sol i que no hi hagi soroll.
    c) Que sigui solitari i que hi toqui el sol.
    d) Que sigui nou i que sigui als afores.

3) El venedor diu que el preu dels pisos oscil·la segons...

    a) el barri on estan situats.
    b) la seva antiguitat.
    c) la planta en què estan situats.
    d) que hi hagi telèfon o no.

4) Entre quins preus oscil·len els pisos com el que interessa a la Carme?

    a) Entre un milió i tres milions.
    b) Entre tres i cinc milions.
    c) Entre quatre i set milions.
    d) Entre sis i set milions.

5) El venedor ofereix a la Carme un pis...

    a) al barri de Sants.
    b) al barri de Gràcia.
    c) al barri vell.
    d) al barri de Sarrià.

6) El pis que li ofereix...

    a) és nou, fa 100 metres quadrats, té tres habitacions i té telèfon.
    b) no és nou, fa 90 metres quadrats, té tres habitacions i té telèfon.
    c) no és nou, fa 100 metres quadrats, té dues habitacions i té telèfon.
    d) No és nou, fa 100 metres quadrats, té tres habitacions i no té telèfon.

2. — Omple aquesta fitxa amb la informació que el venedor ha donat a la Carme.

PIS DE COMPRA

Carrer	
Pis	
Habitacions	
Banys	
Superfície	
Preu	
Característiques i condicionaments (instal·lacions, antiguitat, etc.).	

En aquest diàleg, has sentit com es demanava i es donava informació sobre un pis, i més concretament sobre els punts següents:

— Dimensions.
— Habitacions i altres parts de l'habitatge.
— Situació dins l'edifici.
— Antiguitat.
— Preu i sistemes de pagament.
— Situació (barri on està situat).

i, també, sobre d'altres aspectes com l'aïllament dels sorolls, la claror, la possibilitat de disposar d'un pàrquing, etc.

Per demanar i donar informació sobre aquests punts podem usar el vocabulari següent (vegeu **Digui, digui.../1,** unitat 23):

— **Dimensions:** metre quadrat (m^2), espaiós.
— **Habitacions:** habitació, menjador, sala d'estar, cuina, despatx, (cambra de) bany, corredor, dormitori, lavabo, rebedor.
— **Altres parts de l'habitatge:** ascensor, balcó, escala, finestra, jardí, pati, porta, porticó, pàrquing (o garatge), terrassa (o terrat), porteria, golfes.
— **Situació dins l'edifici:** àtic, pis, planta, principal, entresol, planta baixa, soterrani.
— **Antiguitat:** nou, vell, antic, per estrenar.
— **Situació (barri on està situat):** centre, cèntric, part alta, barri baix, barri vell (o antic), als afores..., a tocar.../tocant a...
— **Instal·lacions:** (el) llum, (el) corrent, força, aigua, gas, electricitat, telèfon, porter automàtic, calefacció, antena de televisió, comptador, mosaic, rajola, pintura, paper, empaperar.
— **Preu i sistemes de pagament:** car, barat, a terminis, al comptat, abonar, tant per cent (%), percentatge, descompte, clàusula, contracte (indefinit, per mesos...), crèdit, finançament, hipoteca, interès, de lloguer, de compra, apujar (el lloguer).
— **Altres condicions:** assolellat ("que hi toca/toqui el sol"), tranquil, sorollós, fosc, clar, ben/mal comunicat, moblat, sense mobles.

Per expressar com voldríem que fos un pis, una casa o un apartament per llogar o per comprar, i quines condicions voldríem que reunís, podem utilitzar les estructures següents:

VOLDRIA VOLDRÍEM	un pis una casa un apartament/...	+ QUE (NO)	ESTIGUÉS... FES... FOS... TINGUÉS... HI HAGUÉS...	**Voldria un pis que tingués** *tres habitacions i dos banys.* **Voldríem un pis que fos** *cèntric,* **però que no hi hagués** *soroll.*

SI + SUBJ imperf, MILLOR	**Si fos nou, millor.**

HI HA + SN → → DE + SN, N'HI HA	?	**Hi ha telèfon? De telèfon, n'hi ha?**

2 3. — PRÀCTICA D'ESTRUCTURES

Escolta i repeteix aquestes frases.

▶ **Voldríem un apartament a la costa. Si** *fos moblat,* **millor**.

Tenint en compte el model que has sentit, completa ara les frases següents amb els verbs que hi ha en el quadre de la dreta.

SER moblat
HAVER-HI jardí
ESTAR arreglat
HAVER-HI telèfon
SER cèntric
TENIR tres habitacions
TOCAR-HI el sol

— Voldria una caseta sola. Si ...., millor.
— Voldríem un pis de segona mà. Si ...., millor.
— Voldria un àtic d'uns 70 m.^{2} Si ...., millor.
— Voldríem uns baixos d'uns 60 m.^{2} Si ...., millor.
— Voldria un pis de Gràcia. Si ...., millor.
— Voldríem un estudi cèntric. Si ...., millor.

3 4. — PRÀCTICA D'ESTRUCTURES

Escolta i repeteix les frases següents.

▶ *De telèfon,* **n'hi ha?**
▶ **Hi ha** *telèfon?*

Completa ara les frases següents de manera semblant als models anteriors.

— De pàrquing, ... ?   — D'ascensor, ... ?
— .... pàrquing?   — .... ascensor?

— De nevera, ... ?   — De porter, ... ?
— .... nevera?   . — .... porter?

— De cuina, ... ?
— .... cuina?

4 AVANTATGES I INCONVENIENTS

5. — DIÀLEG

Una parella que vol llogar un pis va a veure'n un.

a) Omple aquesta fitxa d'acord amb el que sentis.

SITUACIÓ	
DIMENSIONS	
CONDICIONS INTERNES	
CONDICIONS EXTERNES	
TIPUS DE CONTRACTE	

b) Quins avantatges i quins inconvenients troben aquests nois en aquest pis?

AVANTATGES	INCONVENIENTS

TEXT I PREGUNTES DEL DIARI

6. — a) Llegeix aquest text.

Cada any busquen casa 250.000 noves parelles

La principal demanda de pisos prové del jovent que es casa i, per tant, s'independitza. Segons apreciacions dels constructors, a l'Estat espanyol aquesta demanda es pot calcular al voltant de 250.000 habitatges l'any. Però mentre l'oferta de pisos nous continuï a nivells inassequibles per a una gran majoria de la població, bona part d'aquesta demanda es desviarà cap al mercat secundari o no se satisfarà.

El comprador té diverses opcions a l'hora d'adquirir un pis. Si escull un procés normal de finançament, haurà de satisfer una entrada que pot oscil.lar entre un 10 i un 30 per cent del preu total. Després haurà de constituir una hipoteca en un banc o caixa d'estalvis, per un valor fins a un 70 per cent del preu total. Aquest préstec hipotecari s'haurà de retornar amb uns interessos força alts, al voltant del 17 o el 18 per cent, i en un termini de 10 a 15 anys. A més, encara haurà de satisfer el pagament ajornat en terminis, i en això hi ha més possibilitats de negociació amb l'empresa venedora. Els interessos d'aquests terminis també són força alts, fins arribar al 20 o 21 per cent, i amb un temps de marge entre 3 i 10 anys.

Totes aquestes xifres impliquen, per al comprador, un desembós no gens menyspreable: per un pis de quatre milions de pessetes, per exemple, n'haurà de pagar de cop més d'un milió —entre l'entrada i la previsió de la hipoteca— i durant els primers anys, el pagament de la hipoteca i de les lletres de l'ajornament farà pujar les mensualitats fins prop de 70.000 pessetes. És clar que una parella de la classe treballadora, fins i tot amb la sort de tenir feina tots dos, potser no disposa d'aquestes sumes.

Fórmules de finançar l'habitatge propi

S'obren d'altres possibilitats. Per exemple, acollir-se a la fórmula dels préstecs hipotecaris (en relació amb les cèdules corresponents) que concedeixen el Banc Hipotecari d'Espanya i algunes caixes d'estalvis. Aquests crèdits no són amortitzables, s'allarguen fins a 21 anys de termini i se subjecten a interessos un o dos punts per sota dels normals. Una altra opció és acollir-se a la fórmula d'escalonament que ofereixen alguns promotors, mitjançant la qual el pagament mensual ajornat es fixa segons les necessitats del comprador, i el venedor apuja cada any en un 10 per cent aquesta quantitat.

Una altra possibilitat és buscar habitatges protegits per l'Administració. Els avantatges d'aquests pisos consisteixen en el baix interès de la hipoteca —11 per cent— i el major cobriment d'aquesta respecte al total del valor del pis. Si, a més, els ingressos del comprador no superen la xifra d'1.090.760 pessetes anuals (2,5 vegades el salari mínim), es pot gaudir d'ajuts econòmics oficials. Consisteixen en un 40 per cent dels interessos del préstec global que concedeix el Banc Hipotecari al promotor i al comprador, o en un 60 per cent dels interessos del préstec base, si no s'obté a través d'aquest banc. La qualificació d'habitatges de protecció depèn que tinguin menys de 90 m2 útils i que es venguin a un preu màxim revisable anualment.

Una darrera opció que té el comprador és cercar un pis acollit als ajuts de la Direcció General d'Arquitectura i Habitatge de la Generalitat de Catalunya.

Si es troba un pis de segona mà en bones condicions, possiblement es podrà prescindir de la hipoteca i, després de l'entrada, pagar la resta en 60 mesos, sense interessos.

En qualsevol cas, la compra d'un pis és, avui per avui, una de les decisions més compromeses que hom pot prendre.

JOAN VILA I TRIADÚ

"El Món", 1 de juliol de 1983

b) Respon les preguntes següents d'acord amb la informació de l'article.

1) D'on prové la principal demanda de pisos?
2) En quina xifra anual d'habitatges es calcula aquesta demanda?
3) En la compra d'un pis, quina quantitat se sol demanar d'entrada?
4) Què més s'ha de pagar? A quin interès? En quins terminis?
5) Quins avantatges ofereix un habitatge de protecció oficial?
6) Quines condicions ha de reunir un habitatge per ser declarat de protecció oficial?

Vocabulari	
al voltant de	ajornat/ajornament
habitatge	desembós
(ell) escull (escollir)	menyspreable
finançament	de cop
caixa d'estalvis	acollir-se
préstec	cercar
retornar	la resta

5 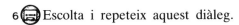 7. — PRÀCTICA D'ESTRUCTURES

Escolta aquest diàleg

▶ **Si es buidés aquest pis,** *me'l* **llogaries?**
▶ **No** *te'l* **llogaria,** *te'l* **vendria.**

Fixa't en aquestes combinacions de pronoms, **me'l**, **te'l**, ("me lo", "te lo"), combinació d'un pronom de complement directe, **el** (**'l**) amb un que, en aquest cas, fa de complement indirecte, **em**, **et** (**me**, **te**).

Escolta i repeteix el diàleg anterior.

Tenint en compte el quadre de pronoms de la dreta, completa els diàlegs següents.

	ME'L ("me lo") TE'L ("te lo")
—Si es buidés aquest pis, ... llogaria?	L'HI ("se lo")
—No .... llogaria, ... vendria.	L'HI ("se lo")
—Si es buidés aquest pis, ... llogaríeu?	ENS EL ("nos lo")
—No .... llogaríem, ... vendríem.	US EL ("os lo")

6 Escolta i repeteix aquest diàleg.

▶ **És un apartament molt gran. Vostè, de mi,** *se'l* **compraria?**
▶ **Jo sí que** *me'l* **compraria.**

Tenint en compte el quadre de pronoms de la dreta, completa els diàlegs següents.

	SE'L ME'L
—És una casa molt gran. Tu, de mi, ... compraries?	TE LA
—Jo sí que .... compraria.	ME LA
—És una torre molt gran. Vosaltres, de mi, ... compraríeu?	US LA
—Nosaltres sí que .... compraríem.	ENS LA
—És un pis molt gran. Tu, de mi, ... compraries?	TE'L
—Jo sí que .... compraria.	ME'L

8. — PRÀCTICA D'ESTRUCTURES

Escolta aquestes frases i repeteix-les.

▶ **És una casa massa petita per a tu. Per què no** *te la* **vens?**

Completa les frases següents amb la combinació de pronoms que has practicat en els exercicis anteriors.

—Si no aneu a l'apartament durant tot el mes de juliol, perquè no .... deixeu a la Núria i a mi?
—Nosaltres, el que volem saber és per quin preu .... pintaria, tota la casa.
—Encara no sé si en Joan .... queda o no, aquest pis.
—................. llogaràs o no, l'estudi, a la Lídia?
—Al final, què heu decidit? .... quedeu o no, el pis?

LÈXIC, EXPRESSIONS I FRASES FETES

Verbs

acollir-se *acogerse*
apujar (el lloguer) *subir (el alquiler)*
empaperar *empapelar*
escollir *escoger*
finançar *financiar*
instal·lar *instalar*
llogar *alquilar*
retornar *devolver*

Adjectius

ajornat/-ada *aplazado*
assolellat/-ada (hi toca el sol)
  soleado (le da el sol)
espaiós/-osa *espacioso*
moblat/-ada *amueblado*
sense mobles *sin muebles*

Adverbis i locucions adverbials

al comptat *al contado*
a terminis *a plazos*
de cop *de golpe/de una vez*
avui (en) dia *hoy (en) día*
almenys *al menos; por lo menos*
com a mínim *como mínimo*
com a màxim *como máximo*

Locucions conjuntives

d'altra banda *por otro lado*

Substantius

ajornament *m aplazamiento*
caixa d'estalvis *m caja de ahorros*
clàusula *f cláusula*

| contracte | indefinit d'11 mesos | *m contrato* | *indefinido de 11 meses* |

corrent elèctric *m corriente eléctrica*
crèdit *m crédito*
descompte *m descuento*
desembós *m desembolso*
finançament *m financiación*

| gas | butà natural (de) ciutat | *m gas* | *butano natural (de) ciudad* |

golfes *f desván*
habitatge *m* o vivenda *f vivienda*
hipoteca *f hipoteca*
interès *m interés*

| instal·lació | elèctrica de gas | *f instalación* | *eléctrica de gas* |

la resta *f el resto*
metre quadrat *m metro cuadrado*
mosaic *m mosaico*
pagament *m pago*

| pis de | lloguer venda compra de segona mà | *m piso de* | *alquiler venta compra de segunda mano* |

préstec *m préstamo*
rajola *f baldosa*
soroll *m ruido*
soterrani *m sótano*
tant per cent *m tanto por ciento*
terrassa *f terraza*
termini *m plazo*

unitat 49

EXERCICIS ESCRITS

A) **Omple els buits (___) amb la persona que convingui de l'imperfet de subjuntiu dels verbs que hi ha entre parèntesis. Posa-hi també els pronoms que hi falten (...) Han de ser aquests pronoms:** *me'l; te'l; se'l; me l'; te l'; se l'; me la; te la; se la; ens la; us la; se la* **(els pots repetir, però t'hi han de sortir tots)**

Ex. —*Em sembla que, la meva habitació,* **me la** *pintaré de color blau.*
—*Jo, si* **fos** *(ser) de tu,* **me la** *pintaria blanca: el blau deu cansar molt.*

1 —M'agrada molt el teu pis. Si els propietaris ...... _____ (vendre), ... compraries?
—Si ...... _____ (fer) pagar al comptat, no. Però si ...... _____ (deixar) pagar a terminis, sí.

2 —He anat a veure el pis que vol llogar la Carme. Tu ...... quedaries?
—Si _____ (tenir) un pare que ...... _____ (arreglar), com té ella, sí. Però si ...... hagués d'arreglar jo, no.
—Doncs ella diu que si ...... _____ (quedar-se), ... arreglaria tota sola.
—I tu ...... has creguda?

3 —Al final ...... quedeu o no, aquella casa de l'Empordà?
—Si no _____ (haver-hi) llogaters, ... quedaríem, però, com que n'hi ha, em sembla que no ...... quedarem pas. Potser ...... quedaran els meus cosins.

4 —Ja ...... vas vendre, la casa de la Molina?
—No; que ...... vols comprar?
—Jo, no. Però els Bartomeu em van dir que si t'esperaves que els _____ (donar) el crèdit que han demanat, ... quedarien.

B) **Completa les frases següents amb la paraula que hi falta. No pots repetir les que ja hi són.**

Ex. —*No m'agrada. No hi toca el sol.*
—*Jo també el trobo massa* **fosc.**

1 —M'agrada que sigui tan gran.
—Sí, és molt _____

2 —M'estimo més un pis sense mobles.
—Ho sento, els que tinc ara tots són _____

3 —La rajola del bany, no m'agrada gens.
—En canvi el _____ de terra és molt maco.

4 —Aquest paper de la paret, el trobo horrorós!
—A mi tampoc no m'agraden els pisos _____

5 —Així, vol un pis de compra...
—No, no, el vull de _____

49

SOLUCIÓ DELS EXERCICIS I TRANSCRIPCIÓ DELS DIÀLEGS

1. — DIÀLEG

Transcripció

VENEDOR: Vostès diran...

CARME: Voldria un pis d'uns noranta metres quadrats, que tingués dos banys i com a mínim tres habitacions. Ah, sobretot voldria que fos assolellat i que no hi hagués soroll. Si fos nou, millor, però si no ho és i està arreglat, m'és igual.

VENEDOR: De lloguer o de compra?

CARME: De compra.

VENEDOR: I a quin barri? Perquè, sap?, això fa canviar molt els preus... A Sarrià o a Pedralbes, per exemple, un pis d'aquestes condicions valdrà com a mínim sis o set milions de pessetes. En canvi, a Gràcia o a Sants el pot trobar per uns quatre milions.

CARME: Sants és un barri que m'agrada força. També m'agrada el barri vell, però els pisos d'aquest barri deuen estar en molt males condicions...

VENEDOR: No es pensi, hi ha de tot. N'hi ha que estan molt arreglats. El que passa és que en aquest moment no n'hi puc oferir cap, en aquests barris.
Miri, en tinc un a Gràcia, al carrer Encarnació, tocant al carrer Escorial: és un àtic que deu tenir quinze o vint anys, fa cent metres quadrats, té dos banys, tres habitacions, cuina i menjador-sala d'estar, i té una terrasseta. Val cinc milions cinc-centes mil pessetes.

CARME: Hi toca el sol?

VENEDOR: Sí, hi toca tot el matí.

CARME: De telèfon, n'hi ha?

VENEDOR: No, no n'hi ha, però ara els instal·len molt de pressa i no li costarà pas gaire més que si hagués de fer el canvi de nom.

CARME: El corrent deu ser de dos-cents vint, suposo.

VENEDOR: Sí. I la instal·lació és nova, la van arreglar fa un parell d'anys.

CARME: I de pàrquing, n'hi ha?

VENEDOR: Sí, el soterrani és un pàrquing, però no sé si hi queda cap plaça lliure.

CARME: Home, no sembla que estigui malament. A tu, què et sembla?

MIQUEL: A mi, bé. Però jo, aquí, no hi pinto res.

CARME: El podríem anar a veure?

VENEDOR: Oh, i tant com sí. De seguida aviso un noi que els hi acompanyarà.

CARME: Ah, escolti! I quines condicions fan?

VENEDOR: Al comptat o a terminis?

CARME: A terminis.

VENEDOR: Doncs ens hauria d'abonar un trenta per cent ara i la resta en dotze anys, a un interès d'un disset per cent.

CARME: Molt bé, d'acord. Doncs, anem.

Solució

1) d   4) c
2) b   5) b
3) a   6) d

2. — **Solució**

PIS DE COMPRA	
Carrer	*Encarnació, tocant al carrer Escorial.*
Pis	*Àtic*
Habitacions	*Tres habitacions, cuina i menjador-sala d'estar.*
Banys	*Dos*
Superfície	*100 m²*
Característiques i condicio-naments (instal·lacions, an-tiguitat, etc...)	*Quinze o vint anys d'antiguitat / Asso-lellat (= hi toca el sol) / Terrassa i soterrani / Corrent de 220 / Instal·lació nova / No hi ha telèfon.*

5. — **DIÀLEG**

Transcripció

—Què et sembla?

—La pintura està molt malament i la instal·lació de gas és molt vella...

—Però és molt espaiós i el mosaic de terra és molt maco. A més, això de la pintura no és pas un problema tan gros. L'empaperem i ja està.

—Sí, però els sostres són molt alts i a l'hivern hi farà molt fred. D'altra banda, això que les habitacions donin al celobert no m'agrada gens i la rajola de la cuina està feta un desastre. Si com a mínim hi hagués bany...

—Home, però si vols un pis antic i cèntric, ja se sap que s'ha d'arreglar. En canvi, està molt ben comunicat i no és massa car. Ah!, i el contracte és indefinit.

—Això avui dia no és cap avantatge, perquè sempre hi ha una clàusula que permet que te l'apugin cada any o cada dos anys. No ho sé..., no hi toca gens el sol i, a més, no hi ha ascensor. Pensa que és un quart pis...!

—Però és un barri molt maco, hi ha molta vida i tens botigues de tot a tocar de casa.

—Si fos de venda, seria diferent. Almenys saps que els diners que t'hi gastes no són per a un altre.

—Sí, llavors hauríem de demanar un crèdit i fer una hipoteca. Com a mínim ens tocaria pagar seixanta o setanta mil pessetes cada mes. Ja em diràs si estem per comprar pisos... Mira, a mi m'agrada; però, si vols, ens ho pensem i ja donarem la resposta a la tarda...

Solució

a)

SITUACIÓ	*Cèntric*
DIMENSIONS	*Espaiós, sostres alts.*
CONDICIONS INTERNES	*Pintura en mal estat, instal·lació de gas vella, el mosaic és molt maco, no hi ha bany, les habitacions donen al celobert, no hi toca el sol, no hi ha ascensor, la rajola de la cuina està en males condicions.*
CONDICIONS EXTERNES	*Bones comunicacions, barri maco, amb moltes botigues.*
TIPUS DE CONTRACTE	*De lloguer, indefinit.*

b)

AVANTATGES	INCONVENIENTS
És espaiós i té un mosaic molt maco.	*La pintura i les instal·lacions estan en mal estat.*
És cèntric i està ben comunicat.	*A l'hivern, hi farà fred.*
No és gaire car.	*Les habitacions donen al celobert.*
És un barri molt maco, amb molta vida. Hi ha moltes botigues molt a la vora.	*No hi ha bany.*
	No hi toca el sol.
	És un quart pis i no hi ha ascensor.

6. — b) **Solució**

1) *Prové del jovent que es casa i s'independitza.*
2) *En 250.000 demandes d'habitatges l'any.*
3) *Se sol demanar entre un 10 i un 30 per cent del preu total de l'habitatge.*
4) *S'ha de pagar una hipoteca per un valor fins a un 70 per cent del total. Els interessos de les hipoteques són d'un 17 o un 18 per cent aproximadament. El termini de pagament és entre 10 i 15 anys.*
5) *Els avantatges dels habitatges de protecció oficial són que pagues un interès més baix en la hipoteca (11 per cent) i que aquesta cobreix més àmpliament el valor total del pis.*
6) *Les condicions que ha de reunir un habitatge per ser declarat de protecció oficial són que tingui menys de 90 metres quadrats útils i que es vengui a un preu màxim revisable anualment.*

SOLUCIÓ DELS EXERCICIS ESCRITS

A) **Omple els buits (_____) amb la persona que convingui de l'imperfet de subjuntiu dels verbs que hi ha entre parèntesis. Posa-hi també els pronoms que hi falten (...) Han de ser aquests pronoms:** *me'l; te'l; se'l; me l'; te l'; se l'; me la; te la; se la; ens la; us la; se la* **(els pots repetir, però t'hi han de sortir tots)**

Ex. —*Em sembla que, la meva habitació,* **me la** *pintaré de color blau.*
—*Jo, si* **fos** *(ser) de tu,* **me la** *pintaria blanca: el blau deu cansar molt.*

1 —*M'agrada molt el teu pis. Si els propietaris* se'l venguessin *(vendre),* te'l *compraries?*
—*Si* me'l fessin *(fer) pagar al comptat, no. Però si* me'l deixessin *(deixar) pagar a terminis, sí.*

2 —He anat a veure el pis que vol llogar la Carme. Tu *te'l quedaries?*
—*Si* tingués *(tenir) un pare que* me l'arreglés *(arreglar), com té ella, sí. Però si* me l' *hagués d'arreglar jo, no.*
—Doncs ella diu que si *se'l quedés* (quedar-se), *se* l'arreglaria tota sola.
—I tu *te* l'has creguda?

3 —Al final *us la* quedeu o no, aquella casa de l'Empordà?
—Si no *hi hagués* (haver-hi) llogaters, *ens la* quedaríem, però com que n'hi ha, em sembla que no *ens la* quedarem pas. Potser *se la* quedaran els meus cosins.

4 —Ja *te la* vas vendre, la casa de la Molina?
—No; que *me la* vols comprar?
—Jo, no. Però els Bartomeu em van dir que si t'esperaves que els *donessin* (donar) el crèdit que han demanat, *se la* quedarien.

B) **Completa les frases següents amb la paraula que hi falta. No pots repetir les que ja hi són.**

Ex. —*No m'agrada. No hi toca el sol.*
—*Jo també el trobo massa* **fosc**.

1 —M'agrada que sigui tan gran.
—Sí, és molt *espaiós.*

2 —M'estimo més un pis sense mobles.
—Ho sento, els que tinc ara tots són *moblats.*

3 —La rajola del bany, no m'agrada gens.
—En canvi el *mosaic* de terra és molt maco.

4 —Aquest paper de la paret, el trobo horrorós!
—A mi tampoc no m'agraden els pisos *empaperats*

5 —Així, vol un pis de compra...
—No, no, el vull de *lloguer.*

APARELLS I MÀQUINES
Funcionament i avaries

Objectius comunicatius

L'objectiu d'aquesta unitat didàctica és aprendre a:

— Descriure les parts d'un automòbil.
— Explicar el funcionament d'un cotxe i d'altres màquines.
— Advertir què s'ha de fer en moments determinats del funcionament d'una
  màquina.
— Explicar com es pot arreglar una avaria.

DESCRIPCIÓ I FUNCIONAMENT D'UN AUTOMÒBIL

1. — DIÀLEG

*La senyora Mercè vol aprendre a conduir, però ha decidit fer-ho bé: no solament vol saber portar el cotxe,
sinó que també vol saber com funciona.*
Escolta el diàleg i assenyala quines d'aquestes peces de l'automòbil han estat esmentades.

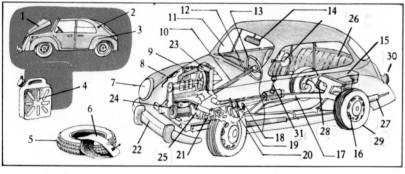 

AUTOMÒBIL

1 capot	7 far	13 volant	19 pedal del fre	27 tub d'escapament
2 finestreta	8 motor	14 retrovisor	20 pedal de l'acce-	28 amortidor
3 parafang	9 bateria	15 dipòsit	lerador	29 roda
4 bidó	10 eix de la	16 llanta	21 tambó del fre	30 intermitent
5 coberta	direcció	17 xassís	22 para-xocs	31 caixa de canvi
6 pneumàtic	11 parabrisa	18 pedal de	23 radiador	32 canvi de marxes
	12 eixugaparabrisa	l'embragatge	24 dinamo	
			25 cigonyal	
			26 seient	

La senyora Mercè no en té prou de saber què és cada una de les parts d'un automòbil. També vol conèixer-ne la utilitat i el funcionament. Fixa't en aquestes frases, extretes del diàleg.

— *A veure si m'explica què són i* **per a què** *serveixen totes aquestes coses.*
— *És aquest manec que serveix* **per** *canviar les marxes.*
— *El canvi de marxes és aquesta palanca que va connectada a la caixa de canvis i serveix* **perquè** *el conductor reguli el motor segons la velocitat que porta el cotxe.*

En totes aquestes frases hi ha un terme que indica la finalitat d'un objecte. Aquests termes són introduïts per les partícules **per**, **per a**, **perquè**, **per a què**. Vegem quan s'utilitza cada una d'elles.

per a és una preposició composta que indica finalitat i destinació. *El canvi de marxes serveix* **per a** *la regulació de la velocitat.* Davant d'un infinitiu o un adverbi, però, utilitzem la preposició simple **per**. *El canvi de marxes serveix* **per** *regular la velocitat.*

per a què és la preposició composta **per a** més l'interrogatiu **què**. Indica la utilitat o la finalitat d'una acció i només s'utilitza en forma interrogativa directa o indirecta: **Per a què** *serveixen aquests pedals?*, *A veure si m'explica* **per a què** *serveixen totes aquestes coses.* Per respondre aquestes preguntes, però, utilitzem la conjunció **perquè***: *El canvi de marxes serveix* **perquè** *el conductor reguli el motor segons la velocitat del cotxe.*

Fixeu-vos, doncs, que per demanar la utilitat o la finalitat d'una cosa utilitzem la conjunció interrogativa **per a què**, però per respondre-hi hem d'utilitzar sempre **perquè** (En el llenguatge oral la **a** de la preposició composta **per a** normalment no es pronuncia: *He fet portar un paquet per a la nena; Per a què servirà tot això?* (pronunciat: «per la nena», «Per què servirà?»).

SN, PER A QUÈ	*ÉS?* *SERVEIX?*	*Això,* **per a què és?** *Aquestes peces,* **per a què serveixen?**
(SN + ÉS/SERVEIX)	PERQUÈ (+SN) + SUBJ... pres	*El diferencial és* **per** **repartir** *uniformement el moviment a les rodes.* **Serveix perquè** *el moviment* **es reparteixi** *uniformement a les rodes.*

* **Nota:** **Perquè** pot ser també una conjunció causal, utilitzada sempre com a resposta. *Hem vingut* **perquè** *us volíem veure.* Per fer la pregunta a la frase anterior utilitzem la conjunció causal interrogativa directa o indirecta **per què**: **Per què** *heu vingut?*, *No sé* **per què** *hem vingut.*

2. — A continuació tens la definició d'algunes peces o parts que componen un automòbil. Ajudant-te de l'explicació anterior, del quadre d'estructures i de la llista de verbs següents, fes una pregunta i una resposta concreta sobre la utilitat de cada una de les peces, com en l'exemple.

alentir *disminuir (la velocidad)*
apartar *apartar*
aturar *parar*
cobrir *cubrir*
deturar *parar, detener*
eixugar *secar, limpiar*
eliminar *eliminar*
expulsar *expulsar*
reduir *reducir*
tapar *tapar*
transformar *transformar*
treure *sacar, echar*

Ex. **Pedal del fre:** *Pedal mitjançant el qual s'accionen, a voluntat del conductor, unes superfícies que van unides a cada roda i damunt de les quals frega amb una pressió més o menys forta una superfície de material adequat. Amb això s'alenteix i es detura el vehicle.*

— *Per a què és / serveix el fre?*
— *Per alentir o deturar els vehicles / Perquè el cotxe alenteixi la velocitat o es deturi.*

1) **amortidor:** Dispositiu que redueix o elimina les oscil·lacions del vehicle, en especial de la suspensió respecte a les rodes.
2) **capot:** Part de la carrosseria d'un automòbil que constitueix la tapa del motor.
3) **cigonyal:** Arbre de transmissió de força que transforma els moviments alternatius en moviments de rotació i viceversa.
4) **eixugaparabrisa:** Aparell que, amb un moviment continuat, aparta l'aigua de la pluja o la neu que cau sobre el parabrisa del vehicle.
5) **motor:** Part del cotxe que transforma l'energia interna d'un combustible o l'energia elèctrica en energia mecànica.
6) **parafang:** Cadascuna de les peces que cobreixen parcialment les rodes d'un vehicle, per evitar els esquitxos d'aquestes.
7) **para-xocs:** Cadascuna de les peces muntades a la part anterior i posterior de la carrosseria d'un automòbil per protegir aquesta contra els xocs de poca importància.
8) **transmissió:** Conjunt d'òrgans que porten el moviment del motor a les rodes motrius.
9) **tub d'escapament:** Cadascun dels tubs pels quals s'efectua l'expulsió dels gasos de combustió del motor dels automòbils.

2 3. — Escolta l'explicació del funcionament d'un cotxe i mira els dibuixos.
Escriu a sota de cada dibuix l'operació que s'ha de realitzar.

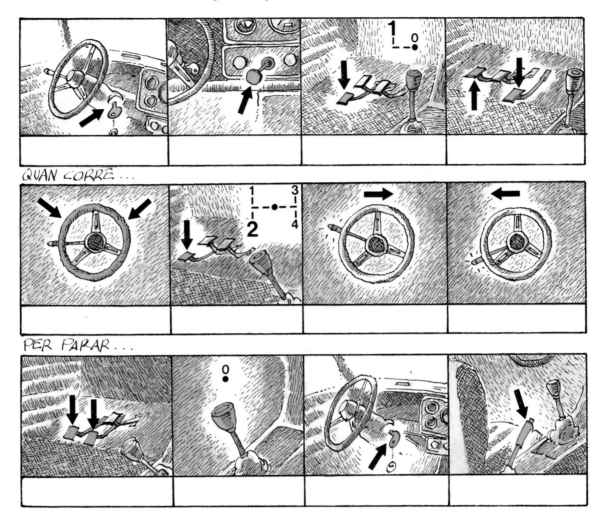

Escolta de nou l'explicació i fixa't en aquestes frases

— Un cop ho hagi comprovat, doni el contacte...
— Si veu que el cotxe no s'engega, estiri l'estàrter...
— Un cop el motor està en marxa, ha de pitjar el pedal de l'embragatge...
— Quan vegi que agafa més velocitat..., ha de treure el peu de l'accelerador...
— Quan vegi que ha de girar, posi l'intermitent...
— Si veu que es comença a fer fosc, ha d'encendre els llums...

UN COP	SUBJ, perf	IMP...	Un cop hagi comprovat *que no hi ha cap marxa posada*, doni *el contacte*.
UNA VEGADA		*HAVER* DE + INF...	Una vegada *el cotxe* s'hagi aturat, ha de treure *la marxa*.
SI VEU QUE...,		IMP...	Si veu que *es comença a fer fosc*, ha d'encendre *els llums*.
QUAN VEGI QUE...,		*HAVER* DE + INF...	Quan vegi que *ha de girar*, posi *l'intermitent*.

4. — Omple els espais buits amb els verbs que hi ha entre parèntesis, en els temps que calgui.

Ex.: Un cop (tu) *hagis descargolat* els cargols, *has de treure/treu* la roda (descargolar, treure)

1) Una vegada (ell) .... la segona, (vosaltres) .... / .... el cotxe (posar, empènyer)
2) Un cop (ell) .... les pinces de la bateria, (tu) .... / .... el teu cotxe (connectar, engegar)
3) Una vegada (nosaltres) .... el cotxe, (tu) .... / .... (empènyer, desembragar)
4) Un cop (vostè) .... l'embragatge, ... / .... la marxa (pitjar, posar)
5) Una vegada (vosaltres) .... l'avançament, ... / .... l'intermitent (fer, treure)
6) Un cop (vostès) ...., ... / .... el cinturó de seguretat (asseure's, posar-se)
7) Un cop (nosaltres) .... el túnel, (tu) .... / .... els llums (entrar, encendre)
8) Una vegada (vosaltres) .... pel tros glaçat, ... / .... les cadenes del cotxe (passar, treure)

3 5. — PRONUNCIACIÓ

Escolta aquestes frases i repeteix-les. Fixa't en la pronunciació de les lletres impreses en negreta.

— *Pitjo l'embragatge i trec la marxa.*

Practica-ho

Substitueix | TREURE | per | POSAR/CANVIAR |

Escolta i repeteix

— *El cotxe es posa en marxa i les rodes giren.*

Practica-ho

Substitueix

| el cotxe es posa en marxa | per | el cotxe s'engega / giro el volant |

Escolta i repeteix

— *Pitjo el fre i l'embragatge, i el cotxe alenteix.*

Practica-ho

Substitueix

| el cotxe alenteix | per | trec la marxa / aturo el cotxe |

FUNCIONAMENT D'ALTRES MÀQUINES I APARELLS

6. — Llegeix les instruccions corresponents a aquestes dues màquines i respon les preguntes que les acompanyen.

PER TREURE DINERS

S'ha d'introduir la targeta de crèdit a l'obertura indicada, en la posició indicada a la màquina. Un cop la màquina se l'hagi empassada, sortirà escrit a la pantalla que s'ha de marcar el número personal. Una vegada s'hagi marcat aquest número, la màquina demanarà quina operació es vol fer. Cal indicar-la-hi i marcar la quantitat que es vol treure. Seguidament la màquina demanarà confirmació de la quantitat. Si és correcta, s'haurà de pitjar el botó que diu «sí». A continuació la màquina dirà al client que l'operació s'està realitzant, li tornarà la targeta i li donarà els diners i el comprovant de l'operació.

a) **Preguntes:**
1) Quan s'ha de marcar el número personal?
2) Abans de marcar la quantitat que es vol treure, què cal fer?
3) Si la confirmació de la quantitat és correcta, què caldrà fer?

ZONES D'ESTACIONAMENT
Pg. de Gràcia

Estacionament gratuït:
Feiners de 20 h a 9 h.
Dissabtes des de les 14 h. Diumenges i festius.

Pl. Villa de Madrid

Estacionament gratuït:
Feiners de 14 h a 16 h i de 20 h a 9 h.
Dissabtes des de les 14 h. Diumenges i festius.
Estacionament de pagament:
Feiners de 9 h a 14 h i de 16 h a 20 h.
Dissabtes de 9 h a 14 h

TARIFES ACTUALS

30 minuts: 20 ptes.

60 minuts: 45 ptes.

1 h 30 minuts: 65 ptes.

Aprovat per la Comissió Municipal Permanent del 28-10-83

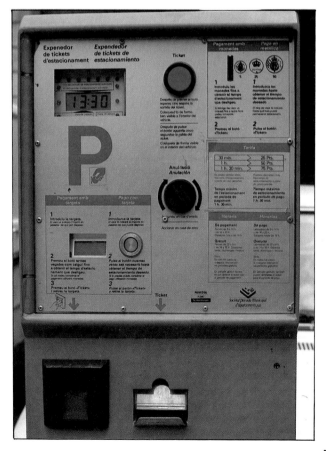

COM S'OBTÉ EL TIQUET?

— Introdueixi exclusivament monedes de 5, 25 o 50 ptes. fins a obtenir el temps d'estacionament previst. Recordi que el temps màxim d'estacionament és de 1 h 30 minuts, i que pot adquirir fraccions de temps a partir de 5 ptes. A mesura que vagi introduint les monedes, el rellotge de la màquina expenedora li indicarà l'hora fins a la qual pot estar estacionat el seu vehicle. Vostè pot rectificar, abans d'obtenir el tiquet, accionant el dispositiu "Anul·lació", per recuperar les monedes.

— Després d'introduir les monedes toqui el botó "tiquet" i esperi cinc segons la sortida del tiquet. Després el deixa a l'interior del cotxe, en un lloc visible des de l'exterior.
La col·locació del tiquet ben visible és indispensable per al control de l'estacionament.

Societat privada Municipal
d'Aparcaments. S.A.

Ajuntament de Barcelona
TRANSPORTS I CIRCULACIÓ

b) **Preguntes**

1) Quins dies i a quines hores es pot aparcar sense pagar a les àrees d'estacionament limitat?
2) Si estacionem un cotxe a les 10,15, fins a quina hora el podem tenir aparcat si hem pagat 65 pessetes?
3) Un cop hàgim introduït les monedes, podem recuperar-les si hem vist que ens equivocàvem? Què hauríem de fer en aquest cas?
4) Una vegada tinguem el tiquet, què n'hem de fer?

INSTRUCCIONS PER ARREGLAR UNA AVARIA

A continuació tens els dibuixos corresponents a les instruccions per arreglar una aixeta que degota. Els textos de les instruccions, però, s'han desordenat. Ordena'ls.

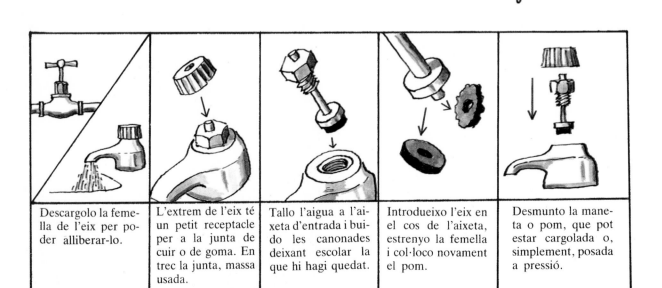

| Descargolo la femella de l'eix per poder alliberar-lo. | L'extrem de l'eix té un petit receptacle per a la junta de cuir o de goma. En trec la junta, massa usada. | Tallo l'aigua a l'aixeta d'entrada i buido les canonades deixant escolar la que hi hagi quedat. | Introdueixo l'eix en el cos de l'aixeta, estrenyo la femella i col·loco novament el pom. | Desmunto la maneta o pom, que pot estar cargolada o, simplement, posada a pressió. |

Per arreglar aquesta avaria has necessitat les eines i els accessoris següents

EINES	ACCESSORIS
clau anglesa, tornavís mitjà, alicates petites, ganivet	taps (cuiros) de recanvi, de les mateixes característiques.

GAT   MARTELL   CLAU ANGLESA   ALICATES   TORNAVÍS   BARRINA

CLAU DE PALANCA   ESCARPRA   TENALLES   PUNXÓ   BROQUES   FILFERRO

GANIVET   CLAUS   CARGOLS   TACS   COLA   PAPER DE VIDRE

VENTOSA   JUNTES (CUIROS D'AIXETA)   CINTA AÏLLANT   FEMELLES I MASCLES

7. — Quines eines i quins accessoris et poden fer falta per arreglar les avaries següents?

4 8. — PRÀCTICA D'ESTRUCTURES

Escolta i repeteix

▶ **Si veus que s'acaba** *el paper,* **n'has de posar més**

Practica-ho:

Substitueix

paper	per	gasolina/fulls/fitxes

Escolta i repeteix

▶ **Quan vegi que** *el paper* **es fa malbé, canviï'l.**

Practica-ho

paper	per	aixeta/vidres/rajoles

5 9. — PRÀCTICA D'ESTRUCTURES

Escolta

— **El dipòsit és buit.**
▶ **Doncs posa-hi benzina.**

Escolta i repeteix

Practica-ho: Posa el verb que hi ha entre parèntesis en imperatiu i els pronoms **en** o **hi**, segons correspongui.

— La pintura ja està seca.
— Doncs .... una altra mà (donar)
— Hi he posat massa oli.
— Doncs .... una mica (treure)
— S'ha desclavat la pota de la cadira.
— Doncs .... un clau (clavar)
— Aquest pegat no m'ha quedat ben posat.
— Doncs .... un altre (posar)
— Se m'ha acabat la barreja de la cola.
— Doncs .... més (fer)
— Se m'ha rebentat la roda de la bicicleta.
— Doncs .... un pegat (enganxar)

LÈXIC, EXPRESSIONS I FRASES FETES

(Vegeu el lèxic corresponent a les parts del cotxe al primer full de la unitat)

Verbs

alentir *disminuir (la velocidad)*
apartar *apartar*
aturar *parar*
bellugar *mover*
calar-se (el cotxe) *calarse*
cobrir *cubrir*
desembussar *desatascar*
desenganxar *desenganchar*
desplaçar *desplazar*
deturar(-se) *parar, detener*
eixugar *secar, limpiar*
eliminar *eliminar*
embussar *atascar*
enganxar *pegar*
estirar *tirar*
expulsar *expulsar*
frenar *frenar*
punxar *pinchar*
reduir *reducir*
tapar *tapar*
transformar *transformar*
treure *sacar, echar*

Substantius

alicates *f alicates*
amortidor *m amortiguador*
barrina *f barrena*
broca *f taladro, broca*
cargol *m tornillo*
cigonyal *m cigüeñal*
clau *m clavo*
clau anglesa *f llave inglesa*
clau de creueta *f llave de cruz*
cola *f cola*
combustible *m combustible*
cinta aïllant *f cinta aislante*
eixugaparabrises *m limpiaparabrisas*
energia *f energía*
escarpra *f escarpa, buril*
expulsió *f expulsión*
femella *f tuerca*
filferro *m alambre*
ganivet *m cuchillo*
gat *m gato*
instructor *m instructor*
juntes (= cuiros d'aixeta) *f juntas*
mànec *m mango*
martell *m martillo*
mascle *m macho*
moviment *m movimiento*
pana (= avaria) *f pana*
paper de vidre *m papel de lija*
parafang *m guardabarros*
pressió *f presión*
punt mort *m punto muerto*
punxó *m punzón*
seient *m asiento*
suspensió *f suspensión*
tambor del fre *m tambor del freno*
tornavís *m destornillador*
tub d'escapament *m tubo de escape*
vehicle *m vehículo*
velocitat *f velocidad*
ventosa *f ventosa*

EXERCICIS ESCRITS

A) Mots encreuats

Horitzontals

1. — Part del cotxe que serveix per reduir o eliminar les oscil·lacions del vehicle. Abreviació de "telèfon".
2. — Us servirà per encolar. En anglès, el sol és un nus català, a l'inrevés. Ve a ser com l'ull d'un cotxe.
3. — Serveix per obrir portes i per enganxar fustes, però si és anglesa, serveix per cargolar. El cotxe en té quatre i una de recanvi. Nom de lletra.
4. — Abric de llit que antigament es feia de plomes i que ara sol ser de fibra. Si estigués bé, seria nou-cents noranta-vuit, en xifres romanes.
5. — Lliga revolucionària. Part del motor del cotxe que conté aigua calenta.
6. — Sigles d'un partit basc. Catalunya. Al revés, negació que no és "no". Cala el cotxe perquè està al revés.
7. — Consonant líquida. Una altra de líquida. I ara una de bilabial. És el d'escapament. Afegint-hi una *t* és un animal domèstic, però també pot ser imprescindible a l'hora de canviar una roda.
8. — Petites tenalles d'acer amb puntes quadrangulars que serveixen per torçar filferro o coses semblants. Que no és tou.

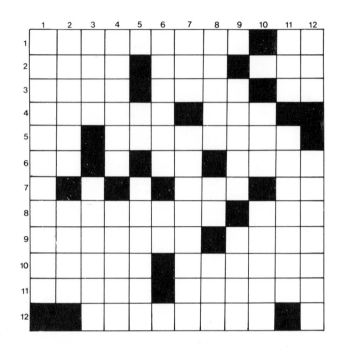

9. — Fer parar algú o alguna cosa. Aquest guix està mal posat.
10. — Contrari de tancat. Si és honorífica, la concedeixen a qui segueix en mèrits als qui tenen els premis i els accèssits.
11. — Cognom català geogràfic. No us hi amoïneu gaire i poseu-hi IFITEL, que no vol dir absolutament res.
12. — Que no hi ha ningú. Consonant dels plurals.

Verticals

1. — Pedal del cotxe que serveix per anar més de pressa.
2. — Reduir els grans i alres materials a pols o fragments molt petits. "Gabriel" curt i desordenat.
3. — "Encolar" sense enc. Mesura de capacitat en plural.
4. — "Travessar", a l'inrevés. Pell de bou i altres animals, adobada i preparada per a diferents usos.
5. — Consonant dental. En castellà, "dóna" i en català, encara que fora d'ús, també. Ignasi ..., personatge del *Digui, digui/... 1*.
6. — Aquest Isidor sí que n'és, de desordenat. Possessiu femení, àton. Vocal que és conjunció.

7. — El "Dinámico" n'era un dels més famosos. Intermitent interromput.
8. — Exclamació de sorpresa. Utilització. Nom de lletra.
9. — Consonant. Un altre cognom català geogràfic, però aquest a l'inrevés. Enganxar, lligar, casar.
10. — Consonant. Tercera persona del singular de l'indicatiu present del primer vertical 2. Primera i tercera persona del singular del subjuntiu present del verb *dictar*.
11. — Serveix per tapar i a Sant Feliu de Guíxols el farien de suro. Al revés, assecar una cosa mullada passant-hi alguna cosa que s'emporti la humitat.
12. — Serveix per frenar. Quan no són metàl·lics, es poden menjar.

B) Escriu a cada fila i a cada columna el nom de la peça, l'eina o l'accessori que representa el dibuix.

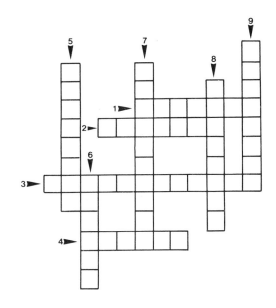

C) Completa aquestes frases amb la paraula que et sembli adient.

— Passa'm ...., que he de clavar aquests claus.
— Passa'm ...., que he de descargolar un cargol.
— Passa'm ...., que he de descargolar aquesta femella.
— Passa'm ...., que he de polir aquesta superfície.
— Passa'm ...., que he d'arrencar aquest clau..

SOLUCIÓ DELS EXERCICIS I TRANSCRIPCIÓ DELS DIÀLEGS

1. — DIÀLEG

Transcripció

SRA. MERCÈ: Miri, ja que començo de gran amb això dels cotxes ho vull fer bé. A veure si m'explica què són i per a què serveixen totes aquestes coses. Què són aquests pedals?

INSTRUCTOR: Aquests pedals? Que no ha anat mai amb cotxe?

SRA. MERCÈ: És clar que hi he anat, però no n'he portat mai. Com ho he de saber, per a què serveixen?

INSTRUCTOR: Doncs... el pedal de la dreta és el de l'accelerador, el del mig és el de fre i el de l'esquerra és el de l'embragatge.

SRA. MERCÈ: Ja. I ara que me'ls ha presentats, em pot dir per a què serveixen?

INSTRUCTOR: Ja patirem! Miri, senyora, és una mica complicat, però ho intentaré. L'embragatge és el primer element de transmissió...

SRA. MERCÈ: Transmissió? On és això?

INSTRUCTOR: No, no es veu. No és una peça sola. És tot un conjunt de peces que porten el moviment del motor a les rodes. Després de l'embragatge hi ha la caixa de canvis i...

SRA. MERCÈ: Ah! Això ja sé què és. És aquest mànec que serveix per canviar les marxes.

INSTRUCTOR: No ben bé. Aquest mànec que vostè diu és el canvi de marxes, no la caixa de canvis.

SRA. MERCÈ: Ah, ja! I quina diferència hi ha?

INSTRUCTOR: Doncs... el canvi de marxes és aquesta palanca que va connectada a la caixa i serveix perquè el conductor reguli el motor segons la velocitat que porta el cotxe.

SRA. MERCÈ: Ui, quines complicacions! No ho entenc.

INSTRUCTOR: Ja. Pugi, sisplau. Veu? Jo engego el cotxe i poso una marxa. Fixi's què passa ara que vaig més de pressa.

SRA. MERCÈ: Ui! Quin soroll! Em sembla que aquest cotxe explotarà.

INSTRUCTOR: Exacte! Doncs ara s'ha de canviar la marxa. Veu?, ja no fa soroll, el motor ja no va forçat. El canvi de marxes serveix per a això, per no haver de forçar el motor.

SRA. MERCÈ: Pari, pari.

INSTRUCTOR: Veu?, ara pitjo el fre i l'embragatge, trec la marxa i el cotxe alenteix la velocitat fins a deturar-se.

SRA. MERCÈ: Escolti, hi ha una cosa que no s'entén. Vostè va tocant totes aquestes palanques i pedals i el cotxe es posa en marxa, però com és que les rodes giren?

INSTRUCTOR: Doncs perquè hi ha un sistema de transmissió de la força del motor a les rodes.

SRA. MERCÈ: Ah!, ja ho entenc.

INSTRUCTOR: Vol dir?

Solució

20 — pedal de l'accelerador
19 — pedal del fre
18 — pedal de l'embragatge
 8 — motor
29 — rodes
32 — caixa de canvis
31 — canvi de marxes

2. — Solució

1 — Per a què serveix l'amortidor?
 — Per reduir o eliminar les oscil·lacions del vehicle.

2 — Per a què serveix el capot?
 — Per tapar el motor.

3 — Per a què serveix el cigonyal?
 — Per transformar els moviments alternatius en moviments de rotació i viceversa.

4 — Per a què serveix l'eixugaparabrisa?
 — Per apartar l'aigua o la neu que cau sobre el parabrisa del cotxe.

5 — Per a què serveix el motor?
 — Per transformar l'energia interna d'un combustible o l'energia elèctrica en energia mecànica.

6 — Per a què serveix el parafang?
 — Per evitar els esquitxos de les rodes.

7 — Per a què serveix el para-xocs?
 — Per protegir la part anterior i posterior de la carrosseria d'un automòbil.

8 — Per a què serveix la transmissió?
 — Per portar el moviment del motor a les rodes.

9 — Per a què serveix el tub d'escapament?
 — Per expulsar els gasos de la combustió del motor.

3. — Transcripció

Per fer funcionar un cotxe utilitari normal ha de fer les operacions següents.
Primer de tot ha de comprovar que el canvi de marxes estigui en posició de punt mort. Un cop ho hagi comprovat, doni el contacte mitjançant la clau. Si veu que el cotxe no s'engega, estiri l'estàrter i torni-ho a provar. Un cop el motor està en marxa, ha de pitjar el pedal de l'embragatge amb el peu esquerre i posar la marxa primera. Tot seguit ha de donar gas pitjant a poc a poc, amb el peu dret, el pedal de l'accelerador i, al mateix temps, ha de deixar anar el pedal de l'embragatge. Si el cotxe està a punt de calar-se, vol dir que deixa anar el pedal de l'embragatge massa de pressa: ha de fer-ho més a poc a poc. Si el cotxe se li arriba a calar, tregui la marxa i torni a començar tot el procés. Entesos? Doncs provi-ho. Bé, bé, molt bé... Fixi's que la direcció del cotxe, l'ha de dur amb el volant: per això cal que agafi bé el volant amb totes dues mans. Però no cal fer moviments bruscos, perquè els cotxes actuals tenen una direcció molt sensible i, per poc que es bellugui el volant, el cotxe gira de seguida. Ara el cotxe comença a córrer. Quan vegi que agafa més velocitat i el motor comença a anar forçat (això ho notarà pel soroll), ha de treure el peu de l'accelerador, pitjar el pedal de l'embragatge i posar la marxa segona. Immediatament ha de deixar anar a poc a poc el peu de l'embragatge i pitjar el pedal de l'accelerador (com ha fet quan ha posat la marxa primera).
Així. Bé. Canvïï. Ara! Molt bé.
A mesura que el cotxe agafi més velocitat haurà de posar les marxes tercera i quarta, de la mateixa manera que ha posat la primera i la segona. Però, això, ja ho farem un altre dia.
Quan vegi que ha de girar, posi l'intermitent: amunt, si vol anar cap a la dreta i avall si vol anar cap a l'esquerra. I, si veu que es comença a fer fosc, ha d'encendre els llums curts o els de posició per ciutat i els curts o els llargs, mentre no molesti un altre conductor, per carretera o autopista.
Ara aturem el cotxe de cop. Per a això ha de treure el peu dret de l'accelerador i pitjar el pedal del fre i seguidament el de l'embragatge, i, una vegada el cotxe s'hagi aturat, ha de treure la marxa. Si no pitja el pedal de l'embragatge, el cotxe se li calarà. Veu?, ha pitjat massa tard el pedal de l'embragatge. Bé, ara tregui la marxa, pari el contacte i posi el fre de mà.

Solució

1 — Donar el contacte
2 — Estirar l'estàrter
3 — Pitjar l'embragatge i posar primera
4 — Pitjar l'accelerador i deixar anar l'embragatge
5 — Agafar bé el volant
6 — Pitjar l'embragatge i posar segona
7 — Posar l'intermitent i girar a la dreta
8 — Posar l'intermitent i girar a l'esquerra
9 — Pitjar el fre i l'embragatge
10 — Treure la marxa i deixar el canvi a punt mort
11 — Tancar el contacte
12 — Posar el fre de mà

4. — 1 — *hagi posat ... heu· d'empènyer/empenyeu*
     2 — *hagi connectat ... has d'engegar/engega*
     3 — *hàgim empès ... has de desembragar/desembraga*
     4 — *hagi pitjat ... ha de posar/posi*
     5 — *hàgiu fet ... heu de treure/traieu*
     6 — *s'hagin assegut ... han de posar-se/posin-se*
     7 — *hàgim entrat ... has d'encendre/encén*
     8 — *hàgiu passat ... heu de treure/traieu*

6. — a) 1 — Un cop la màquina s'hagi empassat la targeta.
        2 — Indicar quina operació es vol fer.
        3 — Marcar el botó que diu «sí».

     b) 1 — Al Passeig de Gràcia
           Dies feiners: de 8 del vespre a 9 del matí de l'endemà.
           Dissabtes: a partir de les 2 del migdia.
           Diumenges i festius: tot el dia.

           A la Plaça Villa de Madrid
           Dies feiners: de 2 del migdia a 4 de la tarda i
                         de 8 del vespre a 9 del matí de l'endemà.
           Dissabtes: a partir de les 2 del migdia.
           Diumenges i festius: tot el dia.
        2 — Fins a tres quarts de dotze (11,45)
        3 — Hauríem de pitjar el botó que diu "ANUL·LACIÓ"
        4 — L'hem de deixar a l'interior del cotxe, en un lloc visible des de l'exterior.

7. — **Canviar una roda**
     Eines: gat, clau de creueta.
     Accessoris: roda de recanvi.

     Arreglar la dutxa
     Eines: un tornavís mitjà, unes alicates, un ganivet, una clau anglesa.
     Accessoris: Si és el cas, juntes i tub de goma de recanvi.

     Reparar o canviar un endoll
     Eines: un tornavís petit, un ganivet punxegut, alicates o estisores.
     Accessoris: Si és el cas, un endoll nou.

     Desembussar un lavabo
     Eines: clau anglesa, ventosa per desembussar.
     Accessoris: un tros de filferro rígid.

SOLUCIÓ DELS EXERCICIS ESCRITS

A) Mots encreuats

	1	2	3	4	5	6	7	8	9	10	11	12
1	A	M	O	R	T	I	D	O	R	■	T	F
2	C	O	L	A	■	S	U	N	■	F	A	R
3	C	L	A	U	■	R	O	D	A	■	P	E
4	E	D	R	E	D	O	■	I	I	M	■	■
5	E	R	■	R	A	D	I	A	D	O	R	■
6	E	E	■	C	■	I	N	■	A	L	A	C
7	R	■	L	■	B	■	T	U	B	■	G	A
8	A	L	I	C	A	T	E	S	■	D	U	R
9	D	E	T	U	R	A	R	■	U	I	X	G
10	O	B	R	I	R	■	M	E	N	C	I	O
11	R	I	E	R	A	■	I	F	I	T	E	L
12	■	S	O	L	I	T	A	R	I	■	■	S

Horitzontals

1. — Part del cotxe que serveix per reduir o eliminar les oscil·lacions del vehicle. Abreviació de "telèfon".
2. — Us servirà per encolar. En anglès, el sol és un nus català, a l'inrevés. Ve a ser com l'ull d'un cotxe.
3. — Serveix per obrir portes i per enganxar fustes, però si és anglesa, serveix per cargolar. El cotxe en té quatre i una de recanvi. Nom de lletra.
4. — Abric de llit que antigament es feia de plomes i que ara sol ser de fibra. Si estigués bé, seria nou-centes noranta-vuit, en xifres romanes.
5. — Lliga revolucionària. Part del motor del cotxe que conté aigua calenta.
6. — Sigles d'un partit basc. Catalunya. Al revés, negació que no és "no". Cala el cotxe perquè està al revés.
7. — Consonant líquida. Una altra de líquida. I ara una de bilabial. És el d'escapament. Afegint-hi una t és un animal domèstic, però també pot ser imprescindible a l'hora de canviar una roda.
8. — Petites tenalles d'acer amb puntes quadrangulars que serveixen per torçar filferro o coses semblants. Que no és tou.
9. — Fer parar algú o alguna cosa. Aquest guix està mal posat.
10. — Contrari de tancat. Si és honorífica, la concedeixen a qui segueix en mèrits als qui tenen els premis i els accèssits.
11. — Cognom català geogràfic. No us hi amoïneu gaire i poseu-hi IFITEL, que no vol dir absolutament res.
12. — Que no hi ha ningú. Consonant dels plurals.

Verticals

1. — Pedal del cotxe que serveix per anar més de pressa.
2. — Reduir els grans i altres materials a pols o fragments molt petits. "Gabriel" curt i desordenat.
3. — "Encolar" sense enc. Mesura de capacitat en plural.
4. — "Travessar", a l'inrevés. Pell de bou i altres animals adobada i preparada per a diferents usos.
5. — Consonant dental. En castellà, "dóna" i en català, encara que fora d'ús, també. Ignasi ..., personatge del Digui, digui 1.
6. — Aquest Isidor sí que n'és, de desordenat. Possessiu femení, àton. Vocal que és conjunció.
7. — El "Dinámico" n'era un dels més famosos. Intermitent interromput.
8. — Exclamació de sorpresa. Utilització. Nom de lletra.
9. — Consonant. Un altre cognom català geogràfic, però aquest a l'inrevés. Enganxar, lligar, casar.
10. — Consonant. Tercera persona del singular de l'indicatiu present del primer vertical 2. Primera i tercera persona del singular del subjuntiu present del verb dictar.
11. — Serveix per tapar i a Sant Feliu de Guíxols el farien de suro. Al revés, assecar una cosa mullada passant-hi alguna cosa que s'emporti la humitat.
12. — Serveix per frenar. Quan no són metàl·lics, es poden menjar.

B) Escriu a cada fila i a cada columna el nom de la peça, l'eina o l'accessori que representa el dibuix.

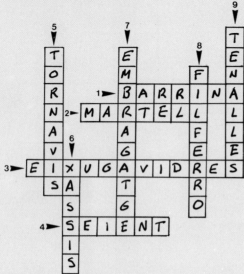

C) Completa aquestes frases amb la paraula que et sembli adient.

— Passa'm *el martell*, que he de clavar aquests claus.
— Passa'm *el tornavís*, que he de descargolar un cargol.
— Passa'm *la clau anglesa*, que he de cargolar aquesta femella.
— Passa'm *el paper de vidre*, que he de polir aquesta superfície.
— Passa'm *les tenalles*, que he d'arrencar aquest clau.

VIATGES
Mitjans de transport i llocs

Objectius comunicatius

L'objectiu d'aquesta unitat és aprendre a:

— Parlar dels avantatges i inconvenients dels mitjans de transport.
— Demanar i donar informació sobre llocs per anar a passar les vacances. Parlar sobre les característiques de diferents comarques, llocs d'interès turístic, poblacions importants, activitats d'esbarjo que s'hi poden realitzar, serveis, allotjaments...

---

1. — DIÀLEG

La Sra. Mercè, en Miquel i la Carme, l'Alfonso i la Neus, i en Toni han fet un viatge aprofitant un cap de setmana llarg i en comenten les incidències.

Escolta el diàleg i escriu en aquest quadre els llocs que han visitat i els mitjans de transport que han utilitzat.

	Llocs visitats	Mitjà de transport
Sra Mercè		
L'Alfonso i la Neus		
En Miquel i la Carme		
En Toni		

En un moment determinat d'aquest diàleg, els nostres personatges s'han posat a discutir sobre els avantatges i inconvenients de cada un dels mitjans de transport que han utilitzat. En relació a cada un d'ells s'han dit coses com:

— **És perillós. Cada dia hi ha més accidents.**
— **Pots mirar-te el paisatge.**
— **És el mitjà més segur i ràpid.**
— **No pots portar més de 20 Kgs.**
— **T'atures quan et convé.**
— **No t'has de cenyir a cap horari.**
— **Hi pots trobar gent atabaladora que no para de cridar, de donar cops i de xerrar.**
— **Per anar-lo a buscar has d'agafar un altre mitjà de transport.**
— **Anar-hi pot produir por i angoixa.**
— **Hi pots llegir i dormir quan et ve de gust.**

Escolta el diàleg una altra vegada i escriu les frases que acabes de llegir en el quadre corresponent.

MITJÀ DE TRANSPORT	AVANTATGES	INCONVENIENTS

2. — En aquest diàleg has sentit també com alguns dels personatges explicaven com els havia anat el viatge. Fixa't ara en aquestes frases del diàleg i repeteix-les.

— **M'ho he passat tan bé!**
— **Hi penso tornar.**
— **Jo no hi havia estat mai.**
— **Ja m'hi hauria quedat.**
— **A mi el viatge se'm va fer molt pesat.**

Però, els mitjans de transport, no els utilitzem solament per fer viatges llargs. En la nostra vida de cada dia estem en contacte amb molts d'ells: *l'autobús, el metro, la moto, la bicicleta, el taxi* són vehicles que estan completament integrats en la nostra vida quotidiana. Fins al punt que s'han convertit en part de nosaltres mateixos. Això és el que ens ve a dir aquest article de J.M. ESPINÀS.

3. — **Llegeix-lo i contesta les preguntes que hi ha a la pàgina següent.**

A LA VORA DE...

Que és fàcil de sentir-se important!

L'Ajuntament de Barcelona ha demanat un informe a un equip de psicòlegs sobre les idees i les actituds dels automobilistes barcelonins, i les conclusions de l'estudi confirmen una situació lamentable que ja sospitàvem. Conduir cotxe és considerat prestigiós, i abandonar el vehicle propi per utilitzar un transport col·lectiu —que és un "transport de pobres"— és sentit com un descrèdit.

Sembla que això podia explicar-se quan la motorització privada era encara un fenomen nou entre nosaltres i el cotxe era el símbol d'un estat social: el dels triomfadors. Però ja fa molts anys que el cotxe s'ha popularitzat i han accedit a posseir-lo persones de totes les edats, classes socials, culturals i professions.

Jo ja no crec que el cotxe representi *socialment* res, però es veu que continua essent un símbol *personal*: el del poder d'un individu.

"El cotxe és el poder, i el transport públic la manca de poder. Si usa un transport públic, l'individu se sent psicològicament desgraciat", diuen les enquestes. Quan s'arriba en aquest punt, jo penso que el ciutadà és desgraciat encara que tingui cotxe, perquè trobar la pròpia afirmació en un vehicle no acredita, precisament, una personalitat gaire consolidada; no passa de ser, és clar, una opinió meva, i evidentment parcial, perquè jo no tinc cap interès especial en el meu cotxe. Sempre han estat vehicles modestos, substituïts al cap de molt de temps —amb l'actual ja he fet 160.000 quilòmetres!— per d'altres d'igualment vulgars; no el rento com caldria, mai no l'he "enriquit" amb cap accessori i l'única satisfacció que em dóna és que funcioni quan el necessito. Amb el temps he après a necessitar-lo —per Barcelona— cada vegada menys.

Al revés del que diu l'informe, jo em sento més "psicològicament feliç" quan agafo un transport públic que no pas quan agafo el cotxe. Senzillament perquè em sento més lliure de badar, mirar la gent o el carrer; "deixar-me dur" durant vint minuts són gairebé unes vacances, mentre que conduir cotxe és una prolongació de la responsabilitat de treballar o de pensar.

No em sento més "pobre", pel fet d'anar en autobús. Al contrari. És una aproximació a l'ideal: tenir un xofer al teu servei. Se sentiria més pobre qui tingués un cuiner que li fes el dinar, que qui se l'hagués de fer ell mateix? I els grans senyors tenien un majordom que els vestia... Llogar un taxi em sembla que ha de satisfer molt més l'orgull personal que haver-se de dur un mateix d'un lloc a l'altre, buscar-se aparcament, perdre el temps, patir per la multa o la rascada... Però estic disposat a rectificar: tot això deu constituir un de tants plaers de la vida que em són negats.

Diuen que ara tornarà el *biscuter,* segurament més vistós i posat al dia. És un indici més del *retorn* a una època. El retorn? Potser, malgrat les aparences, no ens hem mogut gaire d'on érem. Però l'orgull que proporcionava la possessió d'un *biscuter* era més ingenu; n'hi ha prou d'observar la publicitat dels automòbils actuals per donar la raó als informadors de l'Ajuntament: el cotxe ja no és presentat com un "vehicle", sinó com la manifestació, l'ectoplasma luxós, poderós, socialment competitiu del *jo.* Ara Ortega podria dir: "Jo sóc jo i el meu cotxe".

Josep M. Espinàs

a) Segons l'article, quines són les idees i les actituds dels automobilistes respecte al cotxe privat i al transport públic?

....

....

b) Segons les enquestes, com se sent l'individu quan fa servir un transport públic?

....

....

c) Què continua representant socialment el fet de tenir cotxe?

....

....

d) Segons l'opinió de l'articulista, com se sent quan agafa un transport públic? Per què?

....

....

e) Per què diu que el fet d'anar amb autobús és una aproximació a l'ideal?

....

....

Tots els mitjans de transport tenen els seus avantatges i els seus inconvenients. Sovint ens penedim d'haver decidit usar-ne un en comptes d'un altre. Per expressar això usem frases com:

No hauríem d'haver agafat el tren. Hi hauríem d'haver anat amb cotxe.

Per practicar aquest tipus de frases, fes els exercicis orals següents:

3⬤4. — PRÀCTICA D'ESTRUCTURES

Escolta aquest diàleg.

—**Ja portem dues hores de viatge amb tren i encara no som a la meitat del camí.**
▶ **No hauríem d'haver agafat** *el tren.* **Hi hauríem d'haver anat** *amb cotxe.*

Escolta i repeteix el diàleg anterior.

Practica-ho.

—Uf, quin embús! A aquest pas no hi arribarem mai.
▶ .... el cotxe .... amb tren.
—Ja sabia que em marejaria. Sempre que viatjo amb vaixell, em marejo.
▶ .... el vaixell .... amb avió.
—Aquest autobús fa molta volta. Havíem quedat a les set i ja és un quart de vuit.
▶ .... l'autobús .... amb metro.
—Uf! En aquesta hora el metro sempre va ple.
▶ .... el metro .... amb taxi.
—I ara on deixo el cotxe? No hi ha aparcament enlloc.
▶ .... el cotxe .... a peu.

LLOCS

Abans d'emprendre un viatge, cal que ens informem tant com puguem del lloc que volem visitar. D'una bona informació, en depèn moltes vegades l'èxit o el fracàs d'un viatge. Convé, doncs, familiaritzar-nos amb la informació que puguem trobar en una guia turística escrita en català. Aquí en tens un exemple.

5. — **Llegeix el text i respon les preguntes que hi ha a continuació.**

EL PALLARS SOBIRÀ

GIRONA

LLEIDA

BARCELONA

TARRAGONA

Distàncies aproximades des del **Pallars Sobirà** a:

Barcelona	220 Km
Girona	300 Km
Lleida	100 Km
Tarragona	190 Km

DADES D'INTERÈS

EL PALLARS SOBIRÀ
Superfície: 1.355,24 km^2
Població (1981): 5.450 h
Densitat (1981): 4 h/km^2
Municipis: 15

COMUNICACIONS
Ferrocarril: Barcelona-Lleida-Pobla de Segur.
Servei regular d'autobusos ALSINA GRAELLS, S.A. A l'hivern: Barcelona-Esterri d'Àneu i Lleida-Esterri d'Àneu. A l'estiu: Barcelona-Esterri d'Àneu-Viella i Lleida-Esterri d'Àneu-Viella.
Carretera C 147 de Balaguer a Tremp, Sort, Esterri d'Àneu, Viella.
Carretera C 147 de Balaguer a Camarasa, Tremp, Sort, Esterri d'Àneu, Viella.
Carretera C 1412 d'Artesa de Segre a Tremp.
Carretera de la Seu d'Urgell a Sort per Adrall (carretera del Cantó)

CAÇA I PESCA

El Pallars Sobirà té una reserva de caça major, on abunden isards, porcs senglars, perdius blanques, etc. També hi ha galls fers, espècie difícil de trobar i quasi única al nostre país; la cacera d'aquesta espècie a la temporada permesa suposa un alicient força interessant per als aficionats.
Quant a la pesca, cal dir que el Pallars Sobirà gaudeix de la concentració de llacs més destacables de Catalunya, els quals, juntament amb els rius i rierols, ofereixen bones possibilitats per a la pràctica d'aquesta activitat. En els Ajuntaments es poden sol·licitar les corresponents llicències mitjançant un tràmit senzill; també hi ha zones de pesca lliure.
L'afluència de caçadors i pescadors, és un suport important per a la vida econòmica de la comarca.

PRINCIPALS POBLACIONS DEL PALLARS SOBIRÀ

GERRI DE LA SAL Antiga vila, els orígens de la qual són anteriors al segle IX. Està situada a 13 km de Sort i a 591 m d'altitud. Cal visitar les salines, l'explotació de les quals en va constituir la principal activitat econòmica a l'Edat Mitjana, i el Monestir (Col·legiata de Santa Maria) obra romànica del segle XII.
SORT Capital de la Comarca. Situada a 692 m d'altitud i enclavada al marge de la Noguera Pallaresa. Població: 1.548 habitants. Arxiprestat depenent de la Seu d'Urgell. És una població típica de les contrades pirinenques, on podem trobar restes del Castell dels Comtes de Pallars (segle VI). És el centre comercial de la comarca, i té com a recursos econòmics el turisme, la ramaderia i la indústria lletera i formatgera.
RIALB DE NOGUERA A 4 km de Sort i a 725 m d'altitud. Vila de caire medieval amb carrers estrets que inviten a passejar. Ruïnes d'un antic castell dels Comtes de Pallars. A les rodalies, hi trobem restes de petites esglésies romàniques.
LLAVORSÍ A 14 km de Sort i a 825 m d'altitud. Aquesta zona és remarcable per la seva riquesa piscícola i per les possibilitats que ofereix per a la pràctica de la caça major.
ESTERRI D'ÀNEU Situat a 28 km de Sort i a 957 m d'altitud. És la capital de la vall d'Àneu. Punt de partença cap a innombrables excursions d'alta muntanya. Bonic conjunt de cases amb les característiques teulades de pissarra.
RIBERA DE CARDÓS A 24 km de Sort i a 925 m d'altitud. La vila es troba envoltada de prats i bells paisatges que l'han convertida en conegut centre d'estiueig. Cal remarcar, al bell mig del poble, l'església parroquial del segle XII amb un enlairat campanar romànic.
ESPOT A 28 km de Sort i a 1.310 m d'altitud. Visitar el petit poble d'Espot és quasi obligat per a tots aquells que vagin al Parc Nacional d'Aigüestortes i llac de Sant Maurici. Com Esterri d'Àneu, Espot ofereix al visitant grans possibilitats per a l'excursionisme durant l'estiu i la pràctica de l'esquí a l'hivern.

L'ESQUÍ

SUPER ESPOT. L'estació de Super Espot es troba al terme municipal d'Espot, a la vall dels Estanyets, paral·lela a la de Peguera. La vall dels Estanyets, és tancada i protegida, amb pistes de dificultats diverses, orientades cap a nord, moltes al mig de boscos, i una àrea esquiable de 16 km^2. La cota màxima és a 2.350 m d'altura i la mínima a 1.480 m. El conjunt de transports mecànics té una capacitat de 2.370 persones l'hora.
L'estació disposa de la maquinària adequada per mantenir les pistes en bon estat durant la temporada d'esquí, que dura una mitja de 130 dies l'any.

A) **Respon si són veritables (V) o falses (F) aquestes afirmacions. Si són falses, escriu la resposta correcta.**

a) Girona és més a prop del Pallars que Barcelona. ( )

....

b) Esterri d'Àneu és la capital de la comarca. ( )

....

c) De Sort a Viella, no s'hi pot anar amb tren. ( )

....

d) El Pallars Sobirà és una comarca poc poblada. ( )

....

e) El principal recurs econòmic de la capital de la comarca és la mineria. ( )

....

f) L'estació de tren que hi ha més a la vora és la de Pobla de Segur. ( )

....

B) **Marca amb una creu la resposta correcta.**

— A quins d'aquests llocs hi ha una estació d'esquí?

a) A Gerri de la Sal ☐
b) A Espot ☐
c) A Esterri d'Àneu ☐
d) A Sort ☐

— Quina d'aquestes poblacions està situada a més altitud?

a) Esterri d'Àneu ☐
b) Sort ☐
c) Llavorsí ☐
d) Ribera de Cardós ☐

— Si vols anar al poble que hi ha més a la vora de Sort, has d'anar a...

a) Gerri de la Sal ☐
b) Llavorsí ☐
c) Rialb ☐
d) Espot ☐

— Per als amants de l'art, aquesta comarca té interès...

a) Per la quantitat de museus que hi ha ☐
b) Perquè hi va néixer Salvador Dalí ☐
c) Perquè hi ha coves amb pintures prehistòriques ☐
d) Per les seves esglésies romàniques ☐

C) **Què s'hi pot caçar, en aquesta comarca?**

....

D) **Quins altres esports, a més de la caça, s'hi poden practicar?**

....

CONEIXES BÉ LA TEVA COMARCA?

6. — *Intenta omplir aquesta fitxa amb tota la informació que puguis recollir.*

Nom de la comarca: ....

Població aproximada de la comarca: ....

Capital: ....

Poblacions més importants: ....

Distància aproximada respecte a d'altres capitals catalanes (Barcelona, Girona, Manresa, Vic, Lleida, Tarragona, Olot, etc.)

....

....

....

Mitjans de transport amb què s'hi pot arribar: ....

Principals recursos econòmics: ....

....

Dades d'interès turístic: ....

....

....

....

....

4 7. — PRONUNCIACIÓ

Escolta i repeteix aquestes frases.

— Gerri és més lluny que Llavorsí.
— Només es pot caçar en aquesta zona.
— És un paisatge d'una bellesa senzilla, però seductora.
— No hi ha platges, però hi ha uns paratges molt agradables.
— Espot ofereix grans possibilitats per a l'excursionisme.
— No deixis de visitar aquesta església.

LÈXIC, EXPRESSIONS I FRASES FETES

Verbs

aturar-se *pararse*
caçar *cazar*
cenyir-se *ajustarse, ceñirse*
esquiar *esquiar*
pescar *pescar*
recomanar *recomendar*
viatjar *viajar*

Mitjans de transport

autobús *m autobús*
avió *m avión*
bicicleta *f bicicleta*
cotxe *m coche*
metro *m metro*
moto *f moto*
taxi *m taxi*
vaixell *m barco*

Adjectius

perillós/-osa *peligroso*
ràpid/-a *rápido*
segur/-a *seguro*

Substantius

aeroport *m aeropuerto*
caça *f caza*
castell *m castillo*
capital (de la comarca) *f capital (de la comarca)*

embús *m atasco*
equipatge *m equipaje*
ermita *f ermita*
església *f iglesia*
esquí *m esquí*
llac *m lago*
pesca *f pesca*
pont *m puente*
port *m puerto*
rierol *m riachuelo*
riu *m río*
viatge *m viaje*
xofer *m chófer*

EXERCICIS ESCRITS

A) **Llegeix el text següent. Col·loca totes les paraules subratllades a dintre del requadre que acompanya el dibuix.**

Fa una calor impressionant. La ratlla de *l'horitzó* del mar amb prou feines es veu. Des de la terrassa de l'apartament contemplo *el penya-segat* contra el qual *les ones* piquen amb fúria. També hi ha *el far*, envoltat de *pins*, que majestuosament dóna la benvinguda als vaixells. Prop del penya-segat emergeix *un illot* que serveix de refugi a *les gavines*. *La Cala* d'aigües blaves, transparents i de *sorra* blanca és plena de gent que es banya i pren el sol.

A *l'escullera* hi ha moltes *barques de pescadors* i no gaire lluny *un veler* i *un iot* passegen sobre les aigües tranquil·les, acompanyats d'una processó de gavines.

SOLUCIÓ DELS EXERCICIS I TRANSCRIPCIÓ DELS DIÀLEGS

1. — DIÀLEG

SRA. MERCÈ: Que cansada estic! Les cames no m'aguanten, perquè no he deixat ni una botiga per mirar, durant els quatre dies. Però m'ho he passat tan bé, a Andorra, que hi penso tornar. Els he portat aquesta capsa de galetes. Estan contents? Són daneses, no es pensin. Quan vaig aprovar l'examen de conduir, vaig dir-me: "Mercè, et mereixes un premi". I com que venia un cap de setmana tan llarg i tots vostès se n'anaven de viatge, vaig pensar: jo també, i em vaig apuntar a l'excursió programada en autocar. Una meravella, Andorra. Massa muntanyes que no deixen espai a les botigues, potser. Jo no hi havia estat mai. Oi que sembla mentida? M'he comprat una ràdio amb auriculars que sembla una capsa de mistos. Però si només parlo jo! A vostès, com els ha anat? L'Alfonso i la Neus, els veig molt vermells; es nota que han estat a la Costa Brava. Això de prendre tant el sol no és bo per a la salut. En Toni, que ha anat a Mallorca a complir amb l'obligació de veure la família, no ens ha portat cap ensaïmada? Ai, que li estiraré les orelles! I vostè, Carme, què, finalment va convèncer en Miquel per pujar a la Vall d'Aran? Vol dir que no és avorrit, tant de verd i tanta vaca?

ALFONSO: Senyora, que sembla que només s'hagi pogut divertir vostè. Llançà és molt maco, l'aigua no estava contaminada i si fos milionari ja m'hi hauria quedat.

SRA. MERCÈ: Ingrat! I on estarà millor que aquí?

NEUS: Doncs no deixa de tenir raó. Per torrar-nos ja tenim la platja de la Barceloneta. I a mi el viatge se'm va fer molt pesat.

SRA. MERCÈ: Hi van anar amb el taxi?

NEUS: Sí.

SRA. MERCÈ: No.

TONI: Oi que sembla impossible?

SRA. MERCÈ: Com diu, Miquel?

CARME: Miquel!

MIQUEL: Present!

ALFONSO: Au, que ara la senyora Mercè callarà i us explico jo el nostre viatge. Vam agafar l'autopista fins a Figueres, i de Figueres a Llançà per la carretera de l'interior. A la Neus, els viatges, segons com i segons quan, perquè aquesta és una mica especial, se li fan pesats, però a mi gens. Viatjar amb cotxe particular...

TONI: Amb taxi.

ALFONSO: Viatjar amb cotxe particular, com jo, i no dic amb moto, com el pobre Toni, perquè circular amb moto és temptar la mort: viatjar amb cotxe particular com un servidor és el millor. T'atures quan et convé. No t'has de cenyir a cap horari, i si veus un lloc que t'agrada, t'hi pots parar.

SRA. MERCÈ: Jo, no és per dir-ho, però tinc encarregat un descapotable. Els cotxes em semblen molt bé, però per córrer i viure intensament. Si vols descansar, amb l'autocar. Pots mirar-te els paisatges tranquil·lament, pots llegir i dormir quan et ve de gust, no has de patir per trobar aparcament. Perdoni, Miquel, no l'he entès.

CARME: Diu que sí, que té raó. Però no en tens, no senyor! No m'agrada viatjar amb autocar. Quan veig un autocar ple de turistes penso que són iguals que un ramat de xais: tots ben juntets i tots fent el mateix; ara mirin cap a la dreta, ara mirin cap a l'esquerra!

MIQUEL: Jo miraré on vulguis, Carme; miraré on vulguis!

SRA. MERCÈ: No sigui calçasses, Miquel. La Carme no té raó. Si cal mirar cap a la dreta, per què no hem de mirar cap a la dreta?

CARME: No hi estic d'acord. I a l'autocar a la millor es troba amb gent atabaladora, d'aquesta que no para de cridar, i de donar cops, i de xerrar, i que no et deixen mai tranquil!

MIQUEL: Per què no em deixes tranquil?

CARME: És que no t'hi poden deixar! És que no ho fan! És que no ho faré, Miquel!

MIQUEL:	No, oi?
CARME:	No! Per això m'agrada el tren. I per això hi vam anar amb tren.
SRA. MERCÈ:	I al tren no hi ha gent que crida i que no para de xerrar?
CARME:	Sí, és clar.
SRA. MERCÈ:	Ah!
CARME:	Però viatjar per carretera cada dia és més perillós. Cada vegada hi ha més accidents de cotxe. És un inconvenient, no em digui que no. Ho celebro, però m'estranya que encara estigui viva, senyora Mercè.
TONI:	Jo, a Mallorca, sempre hi vaig amb avió. És el mitjà de transport més segur i més ràpid.
CARME:	Viatjar amb avió té uns desavantatges impressionants.
TONI:	Digue'ls, a veure si m'impressiones.
CARME:	El primer és que, com que els aeroports són fora de la ciutat, has d'agafar un altre mitjà de transport per arribar-hi. El segon és que no pots portar més de 20 quilos d'equipatge.
ALFONSO:	L'únic desavantatge real és el que no has dit: la por. Traslladar-te amb avió és ideal, però jo hi passo molta por. Quan un avió té una avaria no es pot aturar a reparar-la. Això d'estar enfilat em produeix una angoixa terrible.
MIQUEL:	Doncs si t'arriba a passar el que em va passar a mi quan venia amb l'avió de Veneçuela, et pots morir. Vaig ensopegar una tempesta i l'avió no parava de pujar i de baixar, de saltar amunt i avall com si fossin les muntanyes russes. Em pensava que no arribava mai.
NEUS:	Sort que això només passa de tant en tant.
ALFONSO:	Però quan passa... I tu què feies?
MIQUEL:	Oh, finalment vaig trobar una solució.
TONI:	Sí?
MIQUEL:	Em vaig adormir.

Solució

	Llocs visitats	Mitjà de transport
Sra. Mercè	Andorra	autocar
L'Alfonso i la Neus	Llançà (Costa Brava)	cotxe particular (taxi)
En Miquel i la Carme	Vall d'Aran	tren
En Toni	Mallorca	avió

MITJÀ DE TRANSPORT	AVANTATGES	INCONVENIENTS
cotxe particular	— T'atures quan et convé. — No t'has de cenyir a cap horari.	
autocar	— Pots mirar-te el paisatge. — Hi pots llegir i dormir quan et ve de gust.	— Hi pots trobar gent atabaladora que no para de cridar, de donar cops i de xerrar.
avió	— És el mitjà més segur i ràpid.	— No pots portar més de 20 kgs. — Per anar-lo a buscar has d'agafar un altre mitjà de transport. — Anar-hi pot produir por i angoixa.

Solució

a) Conduir un cotxe és considerat prestigiós; en canvi, utilitzar un transport és sentit com un descrèdit: és considerat "un transport de pobres".

b) L'individu se sent "psicològicament desgraciat"

c) El poder d'un individu.

d) Se sent "psicològicament feliç" perquè pot badar, mirar la gent o el carrer.

e) Perquè és com tenir un xofer al teu servei.

5. — **Lectura del text**.

A) **Solució**

a) És fals. Barcelona és més a prop del Pallars. (220 Kms.)

b) És fals. La capital de la comarca és Sort.

c) (V)

d) (V)

e) És fals. El principal recurs econòmic és el turisme, la ramaderia i la indústria lletera i formatgera.

f) (V)

B) **Solució**

— b)

— a)

— c)

— d)

C) **Solució**

Isards, porcs senglars, perdius blanques, galls fers, etc.

D) **Solució**

La pesca i l'esquí.

SOLUCIÓ DELS EXERCICIS ESCRITS

A) **Llegeix el text següent. Col·loca totes les paraules subratllades a dintre del requadre que acompanya el dibuix.**

Fa una calor impressionant. La ratlla de *l'horitzó* del mar amb prou feines es veu. Des de la terrassa de l'apartament contemplo *el penya-segat* contra el qual *les ones* piquen amb fúria. També hi ha *el far*, envoltat de *pins*, que majestuosament dóna la benvinguda als vaixells. Prop del penya-segat emergeix *un illot* que serveix de refugi a *les gavines*. *La Cala* d'aigües blaves, transparents i de *sorra* blanca és plena de gent que es banya i pren el sol.

A *l'escullera* hi ha moltes *barques de pescadors* i no gaire lluny *un veler* i *un iot* passegen sobre les aigües tranquil·les, acompanyats d'una processó de gavines.

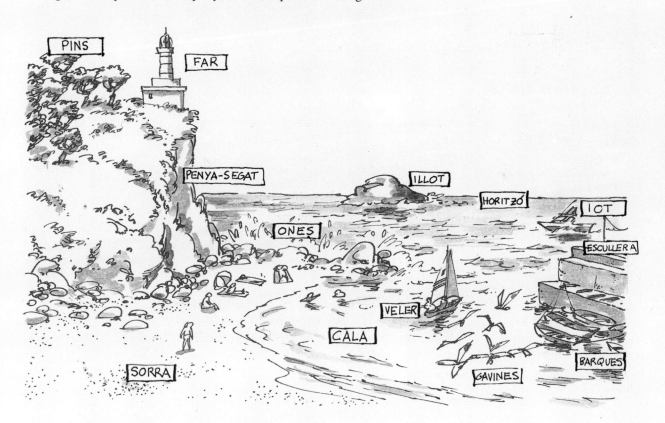

COMPORTAMENT
Suposicions i consells

Objectius comunicatius

L'objectiu d'aquesta unitat didàctica és aprendre a:

— Fer suposicions sobre què li deu haver passat a una persona (*es deu haver empipat; potser se li ha escapat el tren; a la millor s'ha quedat sense feina, etc.*).
— Donar consells (*el que hauries de fer és distreure't; si veu que no pot dormir, prengui's una pastilla, etc.*).

SUPOSICIONS

1. — DIÀLEG

En Miquel, l'Alfonso, la Neus i en Toni juguen a cartes a casa dels tres nois. En Miquel té un comportament estrany. Els altres fan suposicions sobre què li deu haver passat.

Escolta el diàleg.

En el diàleg que acabes de sentir, els amics d'en Miquel fan suposicions sobre què li deu haver provocat el seu mal humor. Entre altres coses diuen:

—**Suposo que es deu haver llevat** *amb el peu esquerre*
—**Li deu haver passat** *alguna cosa.*
—*Si de cas* **es deu haver quedat** *sense feina.*

Per fer suposicions sobre què li deu haver passat a una persona, podem fer servir doncs, entre altres, les estructures següents:

(SUPOSO QUE) (M'IMAGINO QUE)	DEURE + INF compost	**Suposo que es deu haver llevat** *amb el peu esquerre* **Els deu haver molestat** *alguna cosa.* **Li deu haver sabut greu** *això que has dit.* **M'imagino que deu haver renyit** *amb el seu xicot.*

Fixa't, però, que en el diàleg anterior també han dit:

> —**A la millor** *té problemes sentimentals.*
> —**Vejam si** *l'han engegat els de l'editorial.**
> —**No crec que** *hagin renyit.*
> —**Pot ser que** **s'hagi mort** *algú.*
> —**És possible que** **t'hagis mort** *tu.*

* El verb **engegar**, en sentit figurat, vol dir **treure's del davant algú, obligar a anar-se'n**. En aquest diàleg s'ha fet servir com a sinònim de **treure'l de la feina**.

És a dir que per fer suposicions podem usar també les estructures següents:

A LA MILLOR		+ IND	A la millor s'ha quedat *sense feina.*
A VEURE VEJAM	SI	+ IND	A veure si es queda *sense feina...* Vejam si es quedarà *sense feina...*

POTSER	+ IND		Potser s'ha llevat amb el peu esquerre.
ÉS POSSIBLE POT SER	QUE	+ SUBJ perf	És possible que hagi renyit *amb el seu xicot.* És possible que l'hagi molestat *alguna cosa.* *També* **pot ser que els hagi sabut greu** *això que has dit.*

Cal no confondre l'adverbi de dubte **potser**, pronunciat [putsé] ("quizás", "tal vez"), i que en l'estructura que practiquem va seguit d'un verb en indicatiu, amb la forma verbal **pot ser**, pronunciada [pɔtsé] ("puede ser", "puede"), i que va seguida d'un verb en subjuntiu.

> Exs. — **Potser** *no* **ve** *perquè està enfadat.*
> — *No ho crec.* **A la millor** *no se n'ha recordat...*
> — *O* **pot ser**, *simplement*, **que** *el tren* **dugui** *retard.*

2. — a) Escolta novament el diàleg i completa'n aquest fragment:

1

NEUS: Què li passa?
ALFONSO: Suposo que ....
....
TONI: Feia estona que posava mala cara.
NEUS: .... A la millor té problemes sentimentals.
ALFONSO: Res de problemes sentimentals. ....
....
TONI: Vols dir?
ALFONSO: ....els de l'editorial.
NEUS: Trucaré a la Carme i ella m'ho dirà.
TONI: ....Ja ho sé! .....
....
....

2 b) I tu, què creus que li deu haver passat, a en Miquel?
Si vols saber que és el que realment li ha passat, escolta el final del diàleg.

3 4. — **PRÀCTICA D'ESTRUCTURES**

Escolta el diàleg següent.

—**Què li passa, a en Josep, que no para de riure?**
▶ *Es* **deu haver** *ficat de peus a la galleda.*

Repeteix aquestes dues frases.

Ara sentiràs la primera intervenció de tres diàlegs semblants al model anterior. En cada un, abans del senyal acústic, sentiràs les paraules amb què has d'iniciar la teva resposta. Completa, doncs, aquests tres diàlegs substituint:

ficar-se de peus a la galleda	per	empipar-se / saber greu el que has dit / escapar-se el tren

4 5. — **EXERCICI DE PRONUNCIACIÓ**

Escolta aquestes frases

—**Per què està tan enfadada?**
▶ **Potser** *s'ha llevat amb el peu esquerre.*
▶ **Pot ser** *que s'hagi llevat amb el peu esquerre.*

Repeteix les frases anteriors. Fixa't en la pronunciació de les lletres impreses en negreta.

Contesta les preguntes següents igual com en el diàleg anterior. Abans del senyal acústic, sentiràs les paraules amb què has d'iniciar la teva resposta.

Substitueix	llevar-se amb el peu esquerre	per	apujar el sou / renyar / treure de la feina / tocar la loteria

CONSELLS

A la unitat 38 d'aquest mateix llibre hem après a donar consells usant frases com: *Jo, en el teu cas, m'ho pensaria.* / *Jo, si fos de tu, el deixaria,* etc.

> V. DIGUI. DIGUI.../1 unitat 21

EL QUE *HAURIES* DE FER ÉS EL MILLOR QUE *PODRIES* FER ÉS		+ INF...	El que hauries de fer és distreure't. El millor que podria fer és practicar *algun esport.*
SI *VEUS* QUE... QUAN *VEGIS* QUE...	+ IND pres,	+ IMP	Si veu que no pot *dormir*, prengui's *una pastilla.* Quan vegi que es cansa, pari *de fer l'exercici.*
ENCARA QUE... PER MOLT QUE...	+ SUBJ,		Encara que sigui *difícil*, tu continua. Per molt que et diguin *això o allò*, tu no en facis cas.

3. — a) Mira atentament aquests dibuixos i fixa't en els exemples.

Exs. —*Què li ha passat?*
—**Suposo que el deu haver molestat** *alguna cosa.*

—*Què els deu haver passat?*
—**Es deuen haver empipat** *per alguna cosa.*

b) Mira ara aquests dibuixos i completa les frases següents, de manera semblant als exemples anteriors, fent servir cada vegada un verb o una expressió diferent de les que hi ha en el requadre. (Si n'hi algun que no entens, busca'n el significat al final de la unitat.)

adonar-se
donar un espant
riure's
espantar-se
ficar-hi la pota
ficar-se de peus
   a la galleda
recordar-se
renyir
saber greu

1) —Què li deu haver passat?
   —Potser .... s'ha deixat les claus a casa.
   —També pot ser que .... d'alguna cosa important que havia de fer.
2) —Què li deu haver passat?
   —A la millor .... amb el seu xicot.
3) —Què els passa?
   —És possible que .... d'algú.
4) —Què els deu haver passat?
   —Suposo que ....
   —Crec que algú ....
5) —Què li ha passat?
   —Potser ....
   —O pot ser que ....
6) —Què els deu haver passat?
   —............................... alguna cosa.

5 ⬚ 7. — EXERCICI DE COMPRENSIÓ

Ara sentiràs unes persones que parlen per telèfon, però només una part de la conversa. Escolta-les i pren les notes necessàries per completar aquest quadre.

	QUÈ LI ACONSELLA	AMB QUI DEU PARLAR	QUÈ LI DEU HAVER PASSAT A LA PERSONA QUE NO SENTS?
1	—Que es distregui. —Que .... —Que .... —Que	Deu parlar amb	Potser .... És possible que .... Deu haver .... Pot ser que ....
2	—Que	Deu parlar amb	Potser .... És possible que .... Deu .... Pot ser que ....
3	—Que	Deu parlar amb	Potser .... És possible que .... Deu .... Pot ser que ....
4	—Que	Deu parlar amb	Potser .... És possible que .... Deu .... Pot ser que ....

6 8. — **PRÀCTICA D'ESTRUCTURES**

Escolta aquest diàleg.

—**Fa una setmana que no fumo. No sé si ho resistiré.**
▶ **Res, dona.** *Si veus que te'n vénen ganes, menja't un caramel.*

Repeteix el diàleg anterior.

Ara has de completar quatre diàlegs, que són semblants a l'anterior. Abans del senyal acústic, sentiràs les paraules amb què has d'iniciar la teva intervenció.

Substitueix | menjar-se un caramel | per | distreure's / beure molta aigua / no fer-ne cas / anar-se'n

9. — a) Llegeix aquest text.

LA CLAU DE VIDRE
Començament de curs

—Pugi, pugi... No la hi trobarà pas. Fa gairebé una setmana que no apareix per aquí.

Vaig fer que sí amb el cap, vaig estirar la mà i vaig agafar la clau que m'oferia. L'escala que s'enfilava cap a les golfes, on hi havia l'estudi de la noia, era vella, bruta i d'esglaons gastats.

La porta, tancada amb clau, havia estat pintada unes quantes vegades i cada capa de pintura havia afegit llepades de colors diversos a la llinda de pedra. Vaig fer córrer el pany i vaig entrar.

Entrava un bri de llum per les escletxes dels finestrons. Vaig encendre la bombeta —nua— del sostre. Hi havia un llit en un racó —desfet—, una taula de fusta sense envernissar, plena de paperots, una prestatgeria amb llibres i un armari amb roba. Damunt la taula, a més dels papers d'estudi, un got amb un cul de líquid blanquinós, un flexo encara calent i un cendrer que vessava puntes de cigarrets rossos.

I no res més. Ni rastre de la mossa.

—¿Què li deia? —em va dir la vella, quan vaig baixar, després de tancar la porta. Ja se'm feia estrany, a mi, que la família no digués res... ¡Tants dies sense notícies!

Vaig dir-li que sí, li vaig tornar la clau i vaig sortir de la casa. A fora, el sol s'havia amagat rere un núvol i l'aire s'havia tornat fresc. Vaig sentir una esgarrifança.

Feia tres dies que m'havia arribat la carta. Hi havia una explicació dels fets, una fotografia de la noia, l'adreça de la pensió i un taló a nom meu. No és habitual que em lloguin per carta. Em va fer gràcia. Vaig ingressar el taló, vaig resoldre un cas de banyes que duia entre mans i me'n vaig anar a Ripoll, a l'adreça que duia la carta.

Era una casa de dues plantes, amb jardí i garatge. La minyona em va dir

que la senyora reposava, que no estava gaire bona, però que miraria si em podia rebre. Em va fer passar a una sala i em va deixar contemplant dos quadres: un Rogent que representava un paisatge barceloní de tombant de segle i un Mir que figurava un paisatge mallorquí turmentat i de gran violència cromàtica.

La senyora Recasens era menuda, autoritària i tenia la color trencada. Em va fer seure i em va oferir de beure. Li vaig demanar cafè, el va encarregar a la minyona i em va pregar que, si volia fumar, ho fes sense recança. Vaig encendre la pipa i vaig esperar.

—Es tracta de la meva neboda, la Montserrat. Estudia a Vic. La setmana passada va començar el curs amb normalitat, però divendres no va tornar. Passa tota la setmana a Vic i els divendres al vespre puja. Vaig fer que la Cinteta truqués a la dispesa, però no en sabien res. A l'Institut, tampoc. Per això li vaig escriure. No tenim telèfon ¿sap? No m'han agradat mai aquestes modernitats.

La Cinteta, la minyona, ens va servir el cafè en un joc de plata. Cada tassa pesava un quintar. Vam parlar una estona més i la senyora Recasens es va retirar a reposar. Vaig aprofitar per parlar amb la minyona. La Montserrat Recasens era bona noia i estimava amb bogeria la seva tia. Òrfena des de molt petita, sempre havia viscut

al casal dels Recasens. I d'ençà de la mort de l'oncle, tia i neboda estaven més unides que mai. La Cinteta no entenia què li podia haver passat a la noia:

—No ho entenc pas. Però li asseguro que la nena no ha fet res de dolent, senyor policia. Ella no, segur.

La directora de l'Institut de Vic em va dir que la noia, la Montserrat Recasens, havia assistit a les classes fins divendres, que l'havia vist sortir de l'Institut amb les seves amigues i que, dilluns, ja no havia tornat a aparèixer. Recordava la trucada de la minyona de la senyora Recasens i estava contenta que l'afer fos a les meves mans.

La noia Recasens tenia tres amigues: la Tònia Dauró, la Remei Colomer i la Mariona Urtà. Eren a classe, però la directora les va cridar al seu despatx i vaig poder parlar amb elles. Ni cinc de calaix. Havien sortit de l'Institut i havien anat juntes fins a la dispesa de la Montse. Allí l'havien deixada, convençudes que la noia faria la maleta i agafaria el tren de dos quarts de vuit cap a Ripoll.

En sortir de la dispesa, el quadre va prendre cos al meu cap. Necessitava l'ajut de la bòfia, així és que vaig buscar la comissaria de Vic i vaig demanar de parlar amb l'amo dels polis. Sospitava que el cas estava resolt. Només em calia interrogar de debò una de les persones. I els oficials hi tenen la mà trencada, en això dels interrogatoris.

¿I vosaltres què? ¿Us hi aclariu? ¿Què li havia passat a la Montserrat Recasens? ¿No ho veieu? Abans de donar-vos per vençuts, rellegiu la història. ¿No?

JAUME FUSTER

"El Món", 21 d'octubre de 1983.

Fixa't en el significat d'aquestes paraules i expressions que apareixen en el text que has llegit. Si hi ha d'altres paraules o expressions que no entens, busca-les al diccionari.

fer que sí amb el cap: fer un gest afirmatiu amb el cap.

llepada de color: capa de color.

llinda: part superior d'un portal.

un bri (de llum): la paraula **bri** és utilitzada en aquest context en sentit figurat. Vol dir "quantitat molt petita d'alguna cosa".En aquest text: *una mica (de llum)*.

escletxa: obertura estreta entre dues peces que no ajusten o que no tanquen bé.

finestró: porticó. Làmina de fusta d'una porta, d'un balcó o d'una finestra que serveix per tapar la part de vidre.

envernissar: donar una capa de vernís a alguna cosa, sobretot a coses de fusta.

paperot: paraula formada amb el mot **paper** més el sufix **-ot**. En català, quan afegim aquest sufix a una paraula, normalment ho fem per donar-li un sentit despectiu.

puntes de cigarrets: burilles. Part del cigarret que deixem un cop apagat. **Vessava puntes de cigarrets:** el cendrer era ple al màxim.

fer estrany: causar estranyesa, estranyar.

esgarrifança: convulsió involuntària acompanyada per una sensació intensa de fred. Pot ser produïda pel fred, per una emoció, etc.

fer gràcia: sorprendre agradablement.

(un cas de) banyes: la paraula **banyes** és usada en el text en sentit figurat. Aquí, **un cas de banyes** vol dir un cas d'infidelitat conjugal.

menuda: petita i prima.

fer una cosa sense recança: fer-la sense saber-te greu.

orfe/-ena: persona que ha perdut el pare o la mare o tots dos.

ni cinc de calaix: res. En el text vol dir que el directiu no va aconseguir cap resultat positiu de la conversa que va tenir amb les tres noies.

tenir-hi la mà trencada: tenir molta pràctica a fer alguna cosa.

b) Què et sembla que deu haver passat? Si vols saber el que realment va succeir, busca la solució al final de la unitat.

10. — SONS MISTERIOSOS

7 Escolta la cassette. Hi sentiràs uns sorolls "misteriosos". Intenta endevinar *què deu haver passat*.

LÈXIC, EXPRESSIONS I FRASES FETES

Verbs

adonar-se *darse cuenta*
cansar-se *cansarse*
desanimar-se *desanimarse*
distreure's *distraerse*
empipar-se *enfadarse*
encomanar(-se) (una malaltia) *contagiar(se)*
    (una enfermedad)
espantar-se(donar un espant) *asustarse (dar*
    un susto)
fer veure (simular) *fingir, simular*
gratar-se (rascar-se) *rascarse*
imaginar-se *imaginarse*
mastegar *masticar*
molestar-se *molestarse*
pelar (tallar el pèl / els cabells) *cortar el pelo*
    de un animal / el cabello
renyir *reñir*
respirar *respirar*
riure's de... (= riure-se'n) *reírse de alguien*
    o de algo
saber greu *saber mal, lamentar*
suposar *suponer*

Adjectius

aprensiu/-iva *aprensivo*
espantat/-ada *asustado*

Substantius

medicament *m medicamento*
respiració *f respiración*
xarop *m jarabe*

Expressions i frases fetes

engegar algú *mandar (a alguien) a la porra*
ficar-hi la pota *meter la pata*
ficar-se de peus a la galleda *meter la pata, hacer*
    una plancha
tenir/venir ganes de... *tener ganas de..., apetecer*
llevar-se amb el peu esquerre *levantarse con mal*
    pie

EXERCICIS ESCRITS

A) **Completa les frases següents amb el verb més adient dels de la columna de la dreta, en el temps i persona que hi correspongui:**

1 — No sé què té, però està de molt mal humor.
   — A la millor .... amb el seu xicot.

2 — Està molt amable. No me'n fio ni un pèl.
   — Vejam si ens .... diners?

3 — Ai, doctor! A mi, el que em mata és l'insomni.
   — Doncs, si veu que no pot dormir, ...una pastilla.

4 — Per què em fa tan mala cara?
   — Li deu haver sabut greu que no la ....

5 — M'estranya que encara no siguin aquí.
   — Pot ser que els .... a la duana.

6 — És que em fa vergonya, perquè tothom se'n riu.
   — Encara que ...., tu no en ....
    cas.

fer
convidar
renyir
entretenir
adonar-se
prendre's
riure-se'n
encomanar-se
demanar
plegar

7 — Així, puc continuar fent exercici?
  — Sí, però quan .... que es cansa, ... i
  reposi una estona.

8 — Així, va començar a gratar-se el cap fa un parell de dies...
  — Sí, i com que a col·legi n'hi ha hagut altres casos, he
  pensat que és molt possible que .... polls.

B) **Fes aquests mots encreuats.**

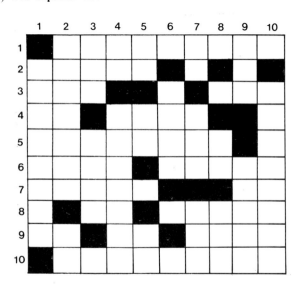

Horitzontals 1. — (Fem.) Persona que té molta aprensió. 2. — Al revés, rasca. Vocal que apareix sovint en els femenins plurals. La mateixa vocal d'abans. 3. — Serveix per olorar. Ho fan els mosquits en català. Germana de la meva mare. 4. — Les dues primeres lletres de l'alfabet. Al costat del verb *saber* equival a lamentar i sentir. Consonant. 5. — Pot ser greu, lleu o contagiosa. La primera vocal. 6. — Al revés, pronom personal. Consonant. Al revés, ho fa perquè està trist. 7. — No diu res. Pronom personal. 8. — Consonant. Al revés, ho fem servir per cridar l'atenció d'algú. Remei contra la tos. 9. — També ho fem servir per cridar l'atenció d'algú. Porta. Primera persona del plural del present d'indicatiu del verb *coure*. 10. — Al revés, l'Ester n'està perquè ha sentit un soroll estrany.

Verticals. 1. — Al revés, contagia. 2. — Molesta perquè parla molt. Afegint-hi la segona nota musical, és el nom d'un membre de la família. 3. — Partícula que reforça la negació. Consonant. Pronom personal. Consonant. 4. — Part del carro. Hi ha gent que s'hi fica de peus. 5. — Al revés, nom d'una consonant. Ramon López. La primera vocal. Terminació dels participis regulars de la segona conjugació. 6. —

Verticals. 1. — Al revés, contagia. 2. — Molesta perquè parla molt. Afegint-hi la segona nota musical, és el nom d'un membre de la família. 3. — Partícula que reforça la negació. Consonant. Pronom personal. Consonant. 4. — Part del carro. Hi ha gent que s'hi fica de peus. 5. — Al revés, nom d'una consonant. Ramon López. La primera vocal. Terminació dels participis regulars de la segona conjugació. 6. — Consonant. L'última lletra. La tercera començant pel final. La mateixa consonant de la primera casella. 7. — Al revés, existeix. Al revés, ho fa perquè està content. Tros d'una noia maca. 8. — Vocal del mig. Consonant. Un tros de paó. Al revés, en tenen els porucs. 9. — Viu al costat de casa meva. Alabes. 10. — La primera lletra. Al revés, enfadada.

SOLUCIÓ DELS EXERCICIS I TRANSCRIPCIÓ DELS DIÀLEGS

2. — a) Transcripció i solució

NEUS: —Vuitanta punts, la partida és meva!

TONI: —Afortunada en el joc, desgraciada en l'amor.

ALFONSO: —Tu parles massa, Toni. La Neus em té a mi: ¿què més vol?

NEUS: —Què més vull? Ja té raó, en Toni. Però estic guanyant totes les partides i no aconseguireu posar-me trista.

TONI: —Totes, no. Tens poca memòria.

ALFONSO: —Exagerada sempre.

NEUS: —Què vols dir, exagerada sempre?

MIQUEL: —Quanta misèria!

TONI: —Què dius? Passeu-me una cigarreta, que també fumaré.

MIQUEL: —Misèria, sí! Sou una colla de miserables! Em feu llàstima!

NEUS: —Què li passa?

ALFONSO: —Suposo que *es deu haver llevat amb el peu esquerre.*

TONI: —Feia estona que posava mala cara.

NEUS: —*Li deu haver passat alguna cosa.* A la millor té problemes sentimentals.

ALFONSO: —Res de problemes sentimentals. *Si de cas es deu haver quedat sense feina.*

TONI: —Vols dir?

ALFONSO: —*Vejam si l'han engegat* els de l'editorial.

NEUS: —Trucaré a la Carme i ella m'ho dirà.

TONI: —*No crec que hagin renyit...* Ja ho sé! *Pot ser que s'hagi mort algú que estima i no ens ho digui per no fer-nos posar tristos.*

ALFONSO: —Exacte! És possible que t'hagis mort tu.

TONI: —No, ho sento. Entenc en medicina i ho sabria.

NEUS: —Ah, és això! Déu meu, Carme, per què no ens avisaves? Pobre Miquel! Procurarem ajudar-lo. Adéu, Carme.

TONI: —Parla, Neus. És molt greu, oi?

b) Transcripció i solució

TONI: Parla, Neus. És molt greu, oi?

NEUS: *Ha deixat de fumar.*

3. — Solució

1) —Què li deu haver passat?
—Potser *s'ha adonat que* s'ha deixat les claus a casa.
—També pot ser que *s'hagi recordat* d'alguna cosa important que havia de fer.

2) —Què li deu haver passat?
—A la millor *ha renyit* amb el seu xicot.

3) —Què els passa?
—És possible que *es riguin* d'algú.

4) —Què els deu haver passat?
—Suposo que *es deuen haver espantat.*
—Crec que algú *els deu haver donat un espant.*

5) —Què li ha passat?
—Potser *s'ha ficat de peus a la galleda* / *hi ha ficat la pota.*
—O pot ser que *hi hagi ficat la pota* / *s'hagi ficat de peus a la galleda.*

6) —Què els deu haver passat?

—*Els deu haver sabut greu* alguna cosa.

7. — Transcripció

1) —El que hauries de fer és distreure't.

No sé per què ets tan aprensiu als medicaments. El millor que podries fer és prendre unes pastilles...
Ja sé que és molt difícil, però si veus que te'n vénen ganes, menja't un caramel o mastega alguna
cosa.

2) —Miri, en aquesta vida, no hi ha res que sigui fàcil. Però ja l'hi vaig dir l'altre dia: encara que li sigui
difícil, no es desanimi i continuï.

No, no és greu, però s'ha de cuidar. Per molt que vinguin festes, vostè no pot fer cap extra durant sis
mesos, després ja ho veurem.

Doncs si no té temps, el millor que podria fer és fer bicicleta a casa.

No, cansar-se, no. Quan vegi que es cansa, pari una mica, faci unes quantes respiracions profundes i
continuï.

3) —Sí, això ja m'ho ha explicat, però l'hi torno a repetir: el que hauria de fer és dur-lo aquí.

No, jo ara no puc venir a casa seva. Pel que em diu deu ser el mateix de sempre: si veu que es grata
molt, posi-li el líquid i doni-li el xarop.

Encara que es queixi, l'ha de banyar tres cops al dia. No pateix pas tant per això.

Sí, dona, sí..., porti-me'l. El pelarem i ja veurà com s'hi coneixerà... No, no s'encomana pas. Estigui
tranquil·la.

4) —Tres cops ahir a la nit? El millor que podries fer és desconnectar el telèfon.

No, si ja t'entenc; però per molt que estiguis espantada, tu mostra't segura.

No diu res? Ja, com tots. Doncs quan vegis que és ell, fes veure que parles amb algú: així semblarà
que no estàs sola.

De tota manera, si això continua així, el que hauries de fer es avisar la policia.

Solució

La solució d'aquest exercici que et donem és orientativa. És evident que en l'apartat *Què li deu haver
passat a la persona que no sents?* no hi ha una solució única. Fixa't molt, però, en els temps verbals que
hagis utilitzat, segons si has fet servir **pot ser**, **potser**, etc.

QUÈ LI ACONSELLA

1) *Que es distregui, que no sigui tan aprensiu als medicaments, que prengui pastilles i que mengi caramels o
que mastegui alguna cosa.*

2) *Que no es desanimi i que continuï, que es cuidi i que no faci cap extra durant sis mesos, que faci bicicleta
a casa, però que no es cansi. Si es cansa, ha de fer respiracions profundes.*

3) *Que el dugui on és ell / que l'hi dugui, que li posi un líquid i li doni un xarop i que el banyi tres cops al
dia.*

4) *Que desconnecti el telèfon, que es mostri segura encara que estigui espantada, que faci veure que parla
amb algú i que, si això continua, avisi la policia.*

AMB QUI DEU PARLAR?

1) *Deu parlar amb un amic, amb un familiar, amb un conegut o amb algú que té confiança, ja que el to és bastant informal.*
2) *Deu parlar amb una metgessa (to formal).*
3) *Deu parlar amb un veterinari (to formal).*
4) *Deu parlar amb una amiga (to informal).*

QUÈ LI DEU HAVER PASSAT A LA PERSONA QUE NO SENTS?

1) Potser *ha deixat de fumar.*
   És possible que *hagi deixat de fumar.*
   Deu haver *deixat de fumar.*
   Pot ser que *hagi deixat de fumar.*

2) Potser *és una persona diabètica / pateix del cor / és obesa.*
   És possible que *sigui una persona diabètica / que pateixi del cor / que sigui obesa.*
   Deu *ser una persona diabètica / Deu patir del cor / Deu ser una persona obesa.*
   Pot ser que *sigui una persona diabètica / que pateixi del cor / que sigui obesa.*

3) Potser *té un animal, un gos o un gat, malalt.*
   És possible que *tingui un animal malalt.*
   Deu *tenir un animal malalt.*
   Pot ser que *tingui un animal malalt.*

4) Potser *rep trucades anònimes.*
   És possible que *rebi trucades anònimes.*
   Deu *rebre trucades anònimes.*

9. — b) **Solució**

La clau de vidre

Em sembla que havia pogut establir unes quantes coses: a) la senyora Recasens, la tia de la Montserrat, era molt rica; b) la Montserrat era una bona noia, incapaç de tocar pirandó sense avisar la família; c) la mossa no tenia cap mena de problema personal. Per tant: d) la seva desaparició era un rapte amb afany de lucre, tot i que ningú no havia reclamat un rescat, encara. A la pensió, la dispesera m'havia dit que feia dies que no la veia i que estava preocupada. I a la cambra de la noia, el llit estava per fer, hi havia un got amb restes d'una medicina i el flexo de damunt la taula *encara era calent*. La dispesera mentia, doncs. En aquella cambra hi havia hagut algú fins poc abans de pujar-hi jo.

L'interrogatori "professional" dels policies de Vic va confirmar les meves sospites. Vam trobar la noia al celler de la dispesa: l'havien drogada, la retenien a la seva cambra i, quan vaig anunciar la meva presència, l'havien traslladada al celler.

"El Món", 21 d'octubre 1983

Fixa't en el significat d'aquests mots que apareixen en la solució de l'exercici que acabes de llegir:

tocar pirandó: marxar.
celler: petit local subterrani d'una casa on se sol guardar vi, menjar, etc.

SOLUCIÓ DELS EXERCICIS ESCRITS

A) **Completa les frases següents amb el verb més adient dels de la columna de la dreta, en el temps i persona que hi correspongui:**

1 — No sé què té, però està de molt mal humor.
   — A la millor *ha renyit* amb el seu xicot.

2 — Està molt amable. No me'n fio ni un pèl.
   — Vejam si ens *demanarà/demana* diners?

3 — Ai, doctor! A mi, el que em mata és l'insomni.
   — Doncs, si veu que no pot dormir, *prengui's* una pastilla.

4 — Per què em fa tan mala cara?
   — Li deu haver sabut greu que no la *convidessis*.

5 — M'estranya que encara no siguin aquí.
   — Pot ser que els *hagin entretingut* a la duana.

6 — És que em fa vergonya, perquè tothom se'n riu.
   — Encara que *se'n riguin*, tu no en *facis* cas.

7 — Així, puc continuar fent exercici?
   — Sí, però quan *s'adoni* que es cansa, *plegui* i reposi una estona.

8 — Així, va començar a gratar-se el cap fa un parell de dies...
   — Sí, i com que a col·legi n'hi ha hagut altres casos, he pensat que és molt possible que *s'hagi encomanat* polls.

fer
convidar
renyir
entretenir
adonar-se
prendre's
riure-se'n
encomanar-se
demanar
plegar

B) **Fes aquests mots encreuats.**

	1	2	3	4	5	6	7	8	9	10
1	■	A	P	R	E	N	S	I	V	A
2	A	T	A	R	G	■	E	■	E	■
3	N	A	S	■	Z	■	T	I	A	■
4	A	B	■	G	R	E	U	■	D	■
5	M	A	L	A	L	T	I	A	■	A
6	O	L	■	L	■	A	R	O	L	P
7	C	A	L	L	A	■	■	■	L	I
8	N	■	I	E	■	X	A	R	O	P
9	E	P	■	D	U	■	C	O	E	M
10	■	A	D	A	T	N	A	P	S	E

NORMES DE CONDUCTA
Lleis, drets i llibertats

> **Objectius comunicatius**
>
> L'objectiu d'aquesta unitat didàctica és aprendre a:
>
> — Explicar un incident que ha perjudicat algú.
> — Parlar sobre si una cosa o un fet és legal o no.
> — Censurar algú per haver actuat malament.
> — Parlar sobre les llibertats, els drets i les obligacions dels ciutadans

 1. — DIÀLEG

L'Alfonso ha deixat el taxi mal aparcat i la grua se l'hi ha endut. Quan arriba a casa ho explica a en Toni.

Escolta el diàleg i completa aquestes frases amb les mateixes paraules que diuen els personatges.

Ex. —No *m'ho preguntes*, per què és mal dia?

1. —El sarcasme, ... pots estalviar.
2. —Que jo sàpiga no ...., de cotxe.
3. —Tu, de conduir i d'aquestes coses, ... ni un borrall.
4. —Doncs no senyor, de senyal, ... cap.
5. —Ja se sap que allà .... aparcar.
6. —No ...., a fer-me això!
7. —Per què .... a ells i no a mi?

En totes aquestes frases tornem a trobar un fenomen sintàctic del qual ja hem parlat en unitats anteriors: la repetició d'un element de la frase. Així, per exemple, en la primera frase

    No m̦'ho preguntes, **per què és un mal dia?**

el pronom **ho** vol dir exactament **per què és un mal dia?** Aquesta repetició d'un element sintàctic (en aquest cas el complement directe) és molt freqüent, sobretot en la llengua parlada, com a recurs expressiu per posar més èmfasi en allò que es diu. Així, si ens interessa de fer ressaltar el terme (*el sarcasme*) d'una frase com *Et pots estalviar el sarcasme*, el que fem és desplaçar aquest terme cap al davant de la frase, així:

    1b *El sarcasme // et pots estalviar*
          4   1 2   3

La frase 1b es pronuncia amb una prosòdia especial (amb una pausa al lloc //). I normalment aleshores cal posar un pronom feble a dins de la frase, en representació de l'element desplaçat. Com que en aquest cas es tracta d'un *complement directe determinat*, ens quedarà

    1c **El sarcasme,** *te'l pots estalviar*
          4   14 2   3

El mateix efecte s'obté desplaçant el terme en qüestió cap a la dreta:

> 1d *Te'l pots estalviar,* **el sarcasme**

Si el complement directe és indeterminat, aleshores es desplaça només el nom (i es deixen els determinants, si n'hi ha), però precedit de la preposició **de**, i el pronom és **en**. Així, en els casos 2a i 2a'

> 2a *No hi havia* **cap** *senyal*
> $\quad$ 1 $\qquad$ 2 $\qquad$ 3

> 2a' *No tenim sucre*
> $\quad$ 1 $\quad$ 2 $\quad$ 3

obtindrem els resultats següents:

> 2b **De senyal,** *no* **n'***hi havia* **cap**
> $\qquad$ 3 $\qquad$ 1 3' $\quad$ 2

> $\quad$ *No,* **n'***hi havia* **cap,** **de senyal**
> $\qquad$ 1 , 3' $\quad$ 2 $\qquad$ 3

> 2b' **De sucre,** *no* **en** *tenim*
> $\quad$ *No* **en** *tenim,* **de sucre**

El procediment és el mateix en el cas d'altres complements o circumstancials:

> 3 **On he anat,** *no t'ho diré pas*
> $\quad$ *No m'ho preguntes,* **per què és mal dia?**

> 4 **Davant de ca la Neus, hi** *fan obres*
> $\quad$ **Hi** *fan obres,* **davant de ca la Neus**

> 5 **A en Joan, li** *han posat una multa*
> $\quad$ **Li** *han posat una multa,* **a en Joan**

2. — PRÀCTICA D'ESTRUCTURES

Per practicar algunes d'aquestes construccions, amb les quals volem remarcar especialment un element de la frase, fes l'exercici oral següent.

Escolta aquest diàleg

—**Ja poden fer obres, si tenen permís.**
▶ [Però no tenen permís] **Però** *no en tenen, de permís.*

Escolta i repeteix el diàleg anterior

Practica-ho: Fes la segona intervenció dels diàlegs, tenint en compte que has de dir el que hi ha entre parèntesis, però en forma emfàtica, com en el model que acabes de sentir.

— Tenen dret a avisar la grua sempre que hi hagi un gual
$\quad$ (No hi havia cap gual)
— ....

— Jo vaig deixar el cotxe ben aparcat aquí davant.
(No es pot aparcar aquí davant)
— ....

— El guàrdia et feia senyals perquè t'aturessis.
(Jo no he vist el guàrdia)
— ....

— És prohibit girar a mà dreta.
(No sabia que era prohibit)
— ....

— Hi ha una llei que prohibeix vendre begudes alcohòliques a menors.
(Jo no coneixia aquesta llei)
— ....

3 3. — PRÀCTICA D'ESTRUCTURES

En l'exercici anterior has hagut de pronominalitzar un element de la frase. Per practicar la substitució d'un element per un pronom, fes l'exercici oral següent.

Escolta aquest diàleg

—**Ja t'has estudiat el codi de la circulació?**
▶ **Sí** *que me l'he estudiat.*

Escolta i repeteix el diàleg anterior.

Practica-ho: Contesta les preguntes afirmativament, substituint els complements verbals pels pronoms corresponents.

—Que no has vist el senyal?
—..
—T'han posat el cep al cotxe?
—..
—Reclamava els seus drets?
—..
—Vas estacionar el cotxe davant de casa?
—..
—Vas anar a reclamar?
—..
—Estava ben senyalitzada aquella carretera?
—..
—Han obert molts cotxes, a la nit?
—..

La nostra conducta cívica està regulada per unes normes més o menys explícites: lleis, codis, avisos, etc., són la plasmació escrita de les regles que regeixen la nostra convivència. És important, doncs, entendre aquests documents i conèixer-ne una mica el llenguatge.

Una de les característiques dels documents que ens informen de les nostres obligacions, dels nostres drets i dels nostres deures és la construcció de frases subordinades que determinen les circumstàncies concretes en què tenen efecte les disposicions que anuncien. Algunes de les construccions que trobem amb més freqüència són les següents.

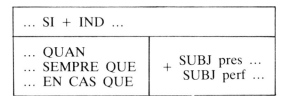

Preneu com a exemple de document aquest text de l'Ajuntament de Barcelona.

AJUNTAMENT DE BARCELONA · **Guàrdia urbana**	INFORMACIÓ AL CIUTADÀ	GRUES
		MARÇ 83

Que d'acord amb l'article 292 del Codi de Circulació, cal retirar el vehicle de la via pública i dipositar-lo sota la custòdia de l'autoritat competent o de la persona que aquesta designi, en els casos i llocs d'estacionament indicats a continuació:

— A les 48 hores d'haver estat immobilitzat el vehicle sense que el conductor o el propietari hagin corregit les causes que motivaren la immobilització.
— Quan el vehicle romangui a la via pública durant un període de temps raonable que faci presumir-ne la situació d'abandó.
— Quan els agents del trànsit trobin a la via pública un vehicle estacionat que impedeixi totalment la circulació o bé destorbi greument o hi motivi un perill.
— En doble fila i sense conductor.
— Davant dels guals, durant l'horari que aquests indiquin.
— En un lloc prohibit d'una via pública de circulació ràpida o molt densa, definida com a tal per l'Alcaldia.
— Als llocs senyalitzats com a reserva de càrrega o descàrrega, durant l'horari que s'indiqui.
— Als espais reservats per al transport públic, que estiguin senyalitzats i delimitats.
— Als llocs reservats per als serveis d'urgència i de seguretat.
— En cas que dificultin una girada autoritzada pel senyal corresponent.
— Si el vehicle està situat de manera total o parcial sobre una voravia o passeig no autoritzats.
— Si el vehicle sobresurt de la línia de la vorada, interrompent una fila de vehicles.
— Sempre que el vehicle impedeixi que els altres usuaris de la via vegin els senyals de trànsit.
— Passades les 24 hores d'haver estat denunciat el vehicle per estacionament continuat sense que hagi estat canviat de lloc (si així ho regulen les disposicions municipals).
— Passades les 24 hores d'haver estat immobilitzat el vehicle amb un cep, si no s'ha sol·licitat la suspensió d'aquesta mesura.

Lèxic: romangui (ROMANDRE) *permanezca*, raonable *razonable*, abandó *abandono*, destorbi (DESTORBAR) *estorbe*, gual *vado*, girada *giro*, sobresurt (SOBRESORTIR) *sobresale*, mesura *medida*.

Fixa't en aquestes frases: (Un vehicle serà retirat de la via pública per la grua:)

— **Si** *el vehicle* **està situat** *de manera total o parcial sobre una voravia o passeig no autoritzats.* (SI + IND)
— **Quan** *el vehicle* **romangui** *a la via pública durant un període de temps raonable que faci presumir-ne la situació d'abandó* (QUAN + SUBJ pres)
— **Sempre que** *el vehicle* **impedeixi** *que els altres usuaris de la via vegin els senyals de trànsit.* (SEMPRE QUE + SUBJ pres)
— **En cas que dificultin** *una girada autoritzada pel senyal corresponent.* (EN CAS QUE + SUBJ pres)

Busca en el text totes les construccions semblants a aquestes que acabes de llegir.

4. — D'acord amb l'article 292 del codi de circulació, quins d'aquests vehicles podrien ser retirats per la grua? Per què?

5. — Omple els espais buits amb el verb que hi ha entre parèntesis, conjugat en el temps i la persona que correspongui.

1 — Vostè té dret a una reparació gratuïta sempre que l'aparell .... (tenir) garantia.
2 — El metge de la seguretat social només visitarà a domicili quan el pacient no .... (poder) valer-se per si mateix.
3 — Qualsevol treballador tindrà dret a una indemnització quan el seu acomiadament .... (ser) improcedent.
4 — Un client pot demanar el llibre de reclamacions sempre que .... (voler)
5 — En cas que no .... (voler) pagar, heu de firmar aquest document.
6 — Si no .... (tenir) carnet, no podem passar.
7 — Encara que .... (haver) firmat, no podem reclamar res.
8 — Cal deixar el pas lliure sempre que .... (sentir-se) la sirena d'una ambulància.
9 — No es pot estacionar cap vehicle en doble fila encara que no .... (haver-hi) cap senyal que ho prohibeixi.

Les lleis s'han fet, en principi, per procurar el bé comú. Tot i així, encara hi ha moltes coses que ens sembla que s'haurien de modificar, arreglar o millorar. Quan volem expressar això, podem usar una construcció gramatical com:

(NO) HI HAURIA D'HAVER...	**Hi hauria d'haver** *més llibertat.* **No hi hauria d'haver** *tanta discriminació sexual.*

Però també podem usar una construcció equivalent com:

CALDRIA QUE (NO) HI HAGUÉS...	**Caldria que hi hagués més** *llibertat.* **Caldria que no hi hagués** *tanta discriminació sexual.*

4 6. — PRÀCTICA D'ESTRUCTURES

Per practicar aquesta construcció amb el verb **caldre**, transforma les frases que sentiràs i que tens escrites, com en el model.

Escolta i repeteix

—**Hi hauria d'haver menys contaminació.**
▶**Caldria que** *hi hagués menys contaminació.*

Practica-ho

—Hi hauria d'haver feina per a tothom.
—...
—Hi hauria d'haver més vigilància.
—...
—No hi hauria d'haver tants taxis.
—...
—Hi hauria d'haver una llei contra l'armament.
—...
—Hi hauria d'haver més control dels aliments.
—...
—No hi hauria d'haver tanta violència.
—...

La conducta humana està regulada, en definitiva, per un conjunt de drets i obligacions. Per expressar que algú té el dret o l'obligació de fer una cosa es poden usar les construccions següents:

TENIR DRET A... *TENIR* L'OBLIGACIÓ DE...	**Té dret a** *una indemnització* **Té l'obligació de** *pagar una indemnització.*

En totes dues construccions, el complement preposicional pot ser substituït per un pronom feble.

TENIR-HI DRET *TENIR*-NE L'OBLIGACIÓ	**Hi** *té dret* **En** *té l'obligació*

Escolta aquest diàleg

—**Jo també tinc dret a un mes de vacances?**
▶*Sí, tu també hi tens dret.*

Escolta i repeteix el diàleg anterior

Practica-ho: Contesta les preguntes que sentiràs i que tens escrites amb les construccions **tenir-hi dret** o **tenir-ne obligació**, segons correspongui

—S'ha de fer la declaració de renda?
—Sí, tothom ....
—Nosaltres també tenim l'obligació d'anar-hi?
—Sí, vosaltres també ....
—Com és que ells no han rebut els interessos?
—Perquè ells no ....
—Per què no vas voler que reclamés?
—Perquè no ....

LÈXIC, EXPRESSIONS I FRASES FETES

Verb
denunciar *denunciar*
desenvolupar *desarrollar*
destorbar *estorbar*
dificultar *dificultar*
immobilitzar *inmovilizar*
impedir *impedir*
infringir *infringir*
inspeccionar *inspeccionar*
reclamar *reclamar*
senyalitzar *señalizar*

Adjectius
cívic/-ica *cívico*
col·lectiu/-iva *colectivo*
constitucional *constitucional*
fonamental *fundamental*
gratuït/-a *gratuito*
obligatori/-òria *obligatorio*
públic/-a *público*

Expressions
A mi rai *A mi qué*
Per descomptat *Desde luego,*
Evidentemente
No en sap ni un borrall *No sabe*
ni gota
L'amor és cec *El amor es ciego*

Substantius
administració *f administración*
autonomia *f autonomía*
autoritat *f autoridad*
centre docent *m centro docente*
cep (per immobilitzar
un cotxe) *m cepo*
ciutadà/-ana *ciudadano*
codi de circulació *m código de*
circulación
constitució *f constitución*
convivència *f convivencia*
estacionament *m estacionamiento*
estatut *m estatuto*
grua *f grúa*
injustícia *f injusticia*
institució *f institución*
llibertat *f libertad*
multa *f multa*
nacionalitat *f nacionalidad*
normativa *f normativa*
obligació *f obligación*
participació *f participación*
perill *m peligro*
principi *m principio*
règim *m régimen*
senyal *m señal*
trànsit *m tráfico*

EXERCICIS ESCRITS

A) **Posa el pronom o els pronoms que calguin en els espais previstos.**

1 — .... tens tot el dret, a reclamar.
2 — Al final no .... va pagar, aquella multa.
3 — No .... tenia cap obligació, de donar-li el carnet.
4 — .... van denunciar a vosaltres?
5 — Amb aquella maniobra .... va infringir dues, de normes.
6 — Ja ho saps, que no s'.... pot aparcar, a la voravia.
7 — Al meu germà .... van atribuir una infracció que no havia fet.
8 — A en Josep i la Carme .... van escorcollar totes les bosses a la frontera.
9 — A nosaltres, en canvi, no .... van mirar res.
10 — I a mi .... van reclamar mil comprovants.
11 — I tant, si .... era, de prohibit, aparcar en aquell xamfrà.
12 — Té .... hauries de saber, el codi de circulació.
13 — .... ha fet molt correctament, aquestes gestions.
14 — La guàrdia urbana .... ha immobilitzat molts, de cotxes, aquí davant.
15 — .... destorben els músics que toquen pel carrer, a tu?

B) **Omple els espais buits amb la paraula que et sembli més adient.**

És una falta de civisme contaminar l'aire de la .... amb els fums de vehicles no revisats i amb .... de gasos industrials. Afegim-hi també la brutícia, conseqüència de .... pel carrer la bossa buida de patates fregides, el .... de tabac —arrugar-lo abans no és cap "atenuant", com .... que creuen alguns—, el paper que embolicava el croissant, ... que hem recollit de la bústia en sortir de ...... i que no ens interesssa... En general hi ha .... papereres perquè la disciplina de no embrutar el .... sigui fàcil... i ningú no hagi de confondre una .... amb el clot d'un arbre. Un amic meu .... un dia com un senyor llençava tranquil·lament un paquet ...... de cigarretes a terra; el recollí i se ...... acostà dient-li, amb tota placidesa: "dispensi, però li .... això..." El senyor, de moment, es quedà sorprès, però .... el paquet rebregat i murmurà: "gràcies". És de suposar ...... en el fons agraïa la discreta lliçó.

C) **Seguint el salt del cavall dels escacs, confeccioneu una frase començant per la paraula que hi ha encerclada.**

LES	ELS	LA	CIUTADANS	ALTRES
AMB	DELS	ELS	FIXEN	COMUNITAT
AMB	LLEIS	DRETS	INDIVIDUS	EN
DEURES	I	RELACIÓ		I
		ELS		

D) **Completa aquestes frases, escrivint-hi un dels verbs del requadre, degudament conjugat.**

— Si un client els ho demana, cal que li .... la factura.
— Cal que .... sempre que vegeu un senyal de STOP.
— Quan .... que ningú no fuma, fes el favor d'apagar
  el teu cigarret.
— Sempre que ...., tanca la porta amb clau.
— Vostè s'ha de quedar aquí, encara que a la botiga no ....
  ningú.
— No cal que .... tant, que ja us he sentit!

ATURAR-SE
CRIDAR
ENSENYAR
HAVER-HI
SORTIR
VEURE

— Hi hauria d'haver una llei que .... fer soroll.
— Hi hauria d'haver un cartell que .... el camí.
— Hi hauria d'haver algú que ens ....
— No hi hauria d'haver cap persona que no .... feina.
— No hi hauria d'haver cap fàbrica que .... l'aire.
— No hi hauria d'haver ningú que .... una altra persona.

ATENDRE
INDICAR
CONTAMINAR
OPRIMIR
PROHIBIR
TENIR

unitat 53

SOLUCIÓ DELS EXERCICIS I TRANSCRIPCIÓ DELS DIÀLEGS

1. — DIÀLEG

Transcripció i solució

TONI:	Bon dia!
ALFONSO:	Mal dia!
TONI:	Doncs mal dia. A mi rai!
ALFONSO:	No *m'ho preguntes*, per què és mal dia?
TONI:	Encara que no t'ho pregunti, tu m'ho diràs igualment, per descomptat.
ALFONSO:	El sarcasme, *te'l* pots estalviar. La grua se m'ha emportat el cotxe!
TONI:	El taxi?
ALFONSO:	Que jo sàpiga no *en tinc cap més*, de cotxe.
TONI:	Un taxi no és un cotxe. Només és un taxi.
ALFONSO:	Gràcies.
TONI:	De res. L'havies deixat mal aparcat, oi?
ALFONSO:	Jo, mal aparcat el meu cotxe? Ahir al vespre el vaig deixar davant d'un lloc on feien obres i aquest matí ja no hi era.
TONI:	Tu, de conduir i d'aquestes coses, *no en saps ni* un borrall, ja ho vam discutir l'altre dia. Devien tenir gual o permís o algun senyal.
ALFONSO:	Doncs no senyor; de senyal, *no n'hi havia* cap.
TONI:	I els de l'obra, què t'han dit?
ALFONSO:	Que ja se sap que allà *no s'hi pot* aparcar i que aquest matí han avisat la grua.
TONI:	Han fet bé, i tant.
ALFONSO:	El que han fet és una injustícia. No *hi tenen dret*, a fer-me això.
TONI:	És clar, és clar. Alfonso, maco, el senyal ja hi era ahir.
ALFONSO:	Et dic que no hi era. És la meva paraula contra la dels de l'obra!
TONI:	La teva paraula.
ALFONSO:	Per què *se'ls han de creure* a ells i no a mi?
TONI:	No, i tant, és clar, potser sí que et creuran. Tu vés-hi. Els de la grua ho han fet bé, però tu vés-hi i reclama. Hi tens tot el dret. Prova-ho.
ALFONSO:	No s'ho creuran?
TONI:	No.
ALFONSO:	Hauré de pagar.
TONI:	Per descomptat.
ALFONSO:	En el fons ho sabia, però em volia enganyar a mi mateix. Sort que tu m'ho has fet veure.
TONI:	Per això són els amics.
ALFONSO:	I tu ets el meu amic, oi?
TONI:	T'ho acabo de demostrar. I t'ho tornaré a demostrar sempre que calgui.
ALFONSO:	Gràcies, Toni. Ho sabia. Toni...
TONI:	Sí?
ALFONSO:	Deixa'm diners per pagar la multa.

4. — Solució

a, l	perquè estan aparcats en un pas de vianants.
b	perquè està aparcat davant d'un gual.
c	perquè està abandonat.
d	perquè impedeix veure un senyal de trànsit.
e	perquè sobresurt de la línia de la vorada i interromp una fila de vehicles.
i	perquè està aparcat en doble fila.
j, k	perquè estan aparcats damunt de la voravia.

5. — **Solució**
    1 — tingui
    2 — pugui
    3 — sigui
    4 — vulgui
    5 — vulgueu
    6 — tenim
    7 — hàgim
    8 — se senti
    7 — hi hagi

SOLUCIÓ DELS EXERCICIS ESCRITS

A) **Posa el pronom o els pronoms que calguin en els espais previstos.**

    1 — *Hi* tens tot el dret, a reclamar.
    2 — Al final no *la* va pagar, aquella multa.
    3 — No *en* tenia cap obligació, de donar-li el carnet.
    4 — *Us* van denunciar, a vosaltres?
    5 — Amb aquella maniobra *en* va infringir dues, de normes.
    6 — Ja ho saps, que no s'*hi* pot aparcar, a la voravia.
    7 — Al meu germà *li* van atribuir una infracció que no havia fet.
    8 — A en Josep i la Carme *els* van escorcollar totes les bosses a la frontera.
    9 — A nosaltres, en canvi, no *ens* van mirar res.
    10 — I a mi *em* van reclamar mil comprovants.
    11 — I tant, si *ho* era, de prohibit, aparcar en aquell xamfrà.
    12 — Te *l'*hauries de saber, el codi de la circulació.
    13 — *Les* ha fet molt correctament, aquestes gestions.
    14 — La guàrdia urbana *n'*ha immobilitzat molts, de cotxes, aquí davant.
    15 — *Et* destorben els músics que toquen pel carrer, a tu?

B) **Omple els espais buits amb la paraula que et sembli més adient.**

És una falta de civisme contaminar l'aire de la *ciutat* amb els fums de vehicles no revisats i amb *l'expulsió* de gasos industrials. Afegim-hi també la brutícia, conseqüència de *llençar* pel carrer la bossa buida de patates fregides, el *paquet* de tabac —arrugar-lo abans no és cap "atenuant", com *sembla* que creuen alguns—, el paper que embolicava el croissant, *l'imprès* que hem recollit de la bústia en sortir de *casa* i que no ens interessa... En general hi ha *prou* papereres perquè la disciplina de no embrutar el *carrer* sigui fàcil... i ningú no hagi de confondre una *paperera* amb el clot d'un arbre. Un amic meu *va veure* un dia com un senyor llençava tranquil·lament un paquet *buit* de cigarretes a terra; el recollí i se *li* acostà dient-li, amb tota placidesa: "dispensi, però li *ha caigut* això..." El senyor, de moment, es quedà sorprès, però *agafà* el paquet rebregat i murmurà: "gràcies"— És de suposar *que* en el fons agraïa la discreta lliçó.

C) **Seguint el salt del cavall dels escacs, confeccioneu una frase començant per la paraula que hi ha encerclada.**

Les lleis fixen els drets i els deures dels ciutadans en relació amb els altres individus i amb la comunitat.

D) **Completa aquestes frases, escrivint-hi un dels verbs del requadre, degudament conjugat.**

— Si un client els ho demana, cal que li *ensenyin* la factura.
— Cal que *us atureu* sempre que vegeu un senyal de STOP.
— Quan *vegis* que ningú no fuma, fes el favor d'apagar
  el teu cigarret.
— Sempre que *surtis*, tanca la porta amb clau.
— Vostè s'ha de quedar aquí, encara que a la botiga no *hi hagi*
  ningú.
— No cal que *crideu* tant, que ja us he sentit!

ATURAR-SE
CRIDAR
ENSENYAR
HAVER-HI
SORTIR
VEURE

— Hi hauria d'haver una llei que *prohibís* fer soroll.
— Hi hauria d'haver un cartell que *indiqués* el camí.
— Hi hauria d'haver algú que ens *atengués*.
— No hi hauria d'haver cap persona que no *tingués* feina.
— No hi hauria d'haver cap fàbrica que *contaminés* l'aire.
— No hi hauria d'haver ningú que *oprimís* una altra persona.

ATENDRE
INDICAR
CONTAMINAR
OPRIMIR
PROHIBIR
TENIR

PETICIONS FORMALS
Llenguatge administratiu

Objectius comunicatius

L'objectiu d'aquesta unitat didàctica és aprendre a:
— Formalitzar documents administratius.
— Escriure cartes comercials.
— Fer peticions formals i informals.

Les relacions amb l'Administració o amb entitats públiques o privades formen part de la nostra vida quotidiana. En un moment o altre de la nostra vida tots hem hagut d'omplir una instància, presentar certificats, complimentar formularis o escriure cartes a empreses, comerços, associacions, etc. I sabem per experiència que aquest tipus de comunicació requereix un llenguatge propi i ben peculiar.

És lògic, a més, que si ens adrecem a un organisme, a una institució o a una entitat catalana, el primer requisit sigui la utilització de la llengua catalana.

En la present unitat veurem alguns models per formalitzar instàncies, demandes, avisos, denúncies, cartes comercials, etc., en català.*

INSTÀNCIES

Parlem, per començar, d'un dels documents administratius que es demana amb més freqüència: la instància.

Què és una instància? La instància és una sol·licitud escrita de tipus oficial. Quines coses cal teniren compte per escriure una instància?

a) **El tractament i el càrrec de la persona a qui s'adreça la instància**. Per norma general, el tractament que s'usa en aquest tipus d'escrit és el de *vós* (… *us exposa*…, … *us demana* …).

Quant als títols administratius, els més freqüents són:
— Molt Honorable Senyor/-a (M. Hble. Sr./Sra.) per adreçar-se al president de la Generalitat.
— Honorable Senyor/-a (Hble. Sr./Sra.) per adreçar-se als consellers de la Generalitat.
— Senyor/-a (Sr./Sra.) per adreçar-se a qualsevol altra persona.
A més d'aquests tractaments, també és possible usar-ne d'altres, d'acord amb el càrrec del destinatari de la instància.
— Excel·lentíssim/-a i Magnífic/-a Senyor/-a (Excm. i Magfc. Sr./Excma. i Magfca. Sra.).
— Il·lustre (Il·ltre), Il·lustríssim/-a (Il·lm./Il·lma).
— Molt Il·lustre Senyor/-a (M.I. Sr./M.I. Sra.).

b) **Encapçalament**: identificació de la persona que fa la sol·licitud amb entitats, organismes, associacions, etc.

— Nom
— Lloc i data de naixement
— D.N.I.
— Professió, o relació del sol·licitant amb entitats, organismes, associacions, etc.

---

* Per a l'elaboració d'aquesta unitat hem tingut en compte alguns tractats de llenguatge administratiu. D'entre ells, hem seguit molt de prop el *Curs de llenguatge administratiu català*, de C. Duarte (Ed. Teide), Barcelona, 1981 i *el Formulari de Procediment Administratiu*, de Josep E. Rebés, V. Sallas i C. Duarte (Escola d'Administració Pública de Catalunya, Dep. de Governació de la Generalitat), Barcelona, 1983.

Models d'encapçlament

El nom pot anar precedit per les fórmules següents:

> Nom: ....
> En/Na/N' ....
> El/la qui subscriu ....
> El/la sotasignant ....

La continuació de l'encapçalament sol formular-se així:

> nascut/-uda a ....
> comarca de .... el dia ...... de .... de 19..., amb el D.N.I. núm. .... (lliurat a
> .... el dia .... de ....), amb domicili a ...., comarca de ...., al carrer (o a la
> plaça, etc.) .... núm. .... (pis ....) (D.P. .....), telèfon ....

en cas que sigui pertinent consignar-hi la professió o algun altre tipus d'informació (càrrec, activitat, relació respecte a una entitat, organisme, etc.), caldrà completar l'encapçalament així:

> .... que treballa com a ....
> .... que és alumne, soci, veí, etc. de ....

c) **Nucli de la instància**: és la part central del document, en la qual es formula la sol·licitud pròpiament dita. El nucli es compon de dues parts:

   a) Exposició.
   b) Sol·licitud.

En la primera part s'exposen les raons per les quals es fa la petició i en la segona es fa la sol·licitud pròpiament dita. La fórmula d'encapçalament de la primera és:

> EXPOSA:..............................
> ....
> ....

La de la segona:

> DEMANA: ....
> ....
> ....

d) **Peu de la instància**: és la part final de la instància. Hi figura una fórmula fixa de petició, del tipus:

> Cosa que espera obtenir de la vostra amabilitat.

o bé:

> La qual cosa espera d'obtenir de la vostra amabilitat.

I després la data de redacció de la instància, la firma de sol·licitant i la repetició del nom de la persona a qui s'adreça la instància.

Per veure d'una manera pràctica com es complimenta una instància, escolta a la teva cassette el primer diàleg d'aquesta unitat.

1. — DIÀLEG

En Toni ha anat a la Universitat per demanar que li facin un certificat.

Escolta el diàleg i completa aquestes instàncies d'acord amb el que has sentit.

Excm. i Magfc. Sr. Rector:

Na Mariona Tarrida i Planola,
nascuda a ...., comarca de................, el dia ... de
.... de ...., amb el D.N.I. núm. .... lliurat a Girona el
dia 19 de març de 1982, amb domicili a ...., comarca
de ...., carrer ...., pis ...., D.P.... tel.
.... us

EXPOSA: Que en el curs vinent ....
....
.... Per
la qual cosa us
DEMANA:
Que li sigui concedit .... a la Universitat de
.... per poder continuar els estudis de ....
....
La qual cosa espera d'obtenir de la vostra amabilitat.
  Barcelona, 16 de setembre de 1985.

Excm. i Magfc. Sr. Rector de la Universitat de Barcelona.

Exc. i Magfc. Sr. Rector.
Nom: Toni .... i ....,
Nascut a ...., el dia ... d .... de ...., amb el D.N.I. núm
.............., lliurat a Palma de Mallorca el dia 22 de juny de 1982, amb
domicili a ...., comarca de ...., carrer
.............., pis ... D.P. ...., tel. .... us

EXPOSA: Que necessita ....
corresponents al 1r curs de la Facultat de Medicina, per poder
sol·licitar ....
....
Per la qual cosa us

DEMANA: Que li sigui lliurada la certificació corresponent
Cosa que espera d'obtenir de la vostra amabilitat.
  Barcelona, 16 de setembre de 1985

Excm. i Magfc. Sr. Rector de la Universitat de Barcelona.

DENÚNCIES

Un altre tipus de documents amb els quals és possible que ens hàgim d'enfrontar alguna vegada és aquell a través del qual formulem alguna queixa, una reclamació o una denúncia.Vegem un model de denúncia.

2. — DIÀLEG

Una senyora va a fer una denúncia en unes oficines municipals.

Escolta el diàleg entre aquesta senyora i un guàrdia i omple aquesta denúncia segons el que diu la senyora.

El/la Senyor/a: ...., amb el D.N.I. ...., amb domicili a .... (comarca de ....), carrer ...., núm ....., pis ...., telèfon ....

DENUNCIA EL FET SEGÜENT:

....
....
....

Barcelona, 22 de novembre de 1985
(Signatura)

CARTES COMERCIALS

A continuació tens tres models de cartes comercials. Llegeix-les i fixa't en les expressions que assenyalem més avall.

Olot, 6 d'agost de 1985

Distingits senyors:

El motiu d'aquesta carta és demanar-vos que ens envieu el mostrari de la col·lecció "Tardor 85-86" a fi que puguem seleccionar les robes que ens interessen.

Sabadell, 12 d'agost de 1985

Distingits senyors:

En resposta a la seva carta rebuda el 8 d'aquest mes, us enviem el mostrari de la col·lecció "Tardor 85-86" tal com ens heu sol·licitat, i ho aprofitem per avançar-vos el mostrari "Hivern 85-86".

Terrassa, 14 de setembre de 1985

Senyors:

Ben a pesar nostre us hem de comunicar que no ens és possible d'assistir a la inauguració del vostre local.
Sincerament us oferim les nostres excuses.
Us saludem atentament

Ramon Collell i Tort

Distingits senyors:
En resposta a la seva carta ...
Em plau d'anunciar-vos ...
... us hem de comunicar ...
Sincerament us oferim les nostres excuses...

Vegem unes quantes fórmules que podem trobar en cartes comercials. Evidentment, n'hi ha moltes més que són pròpies d'aquest tipus de correspondència.

a) **Per adreçar-nos al destinatari**: podem usar una fórmula simple com *Sr./Sra.* ...., o bé, si no volem explicitar el nom del destinatari, podem usar fórmules com:

Distingit (-ida) senyor (-a):
Benvolgut (-uda) senyor (-a):

que escriurem en plural si ens adrecem a més d'una persona:

Distingits (-ides) senyors (-ores):
Benvolguts (-udes) senyors (-ores):

b) **Per fer una comanda.** Utilitzant com a tractament més usual el de *vós*, podem iniciar una comanda amb fórmules com:

> *El motiu d'aquesta carta és demanar-vos ......*
> *Us agrairem que ens envieu ..... o també: Us*
> *agrairíem que ens enviéssiu ....*
> *Ens plau de fer-vos la comanda següent:*

c) **Per expressar la confiança de ser atès.**

> *Esperem que serem atesos ...... o també:*
> *Confiem que serem atesos ......*
> *Tot esperant bones noves ...... o també:*
> *Tot esperant notícies vostres ....*

d) **Per confirmar que hem rebut un escrit.**

> *En resposta a la vostra carta/comanda ...*
> *Hem rebut la vostra carta /comanda ......*
> *Notifiquem la recepció de la*
> *vostra carta/comanda ....*

e) **Per expressar gratitud.**

> *Us agraïm la vostra col·laboració/el vostre interès ...*
> *Hem d'expressar-vos la nostra gratitud per ...*

f) **Per excusar-nos**

Us oferim les nostres excuses	pel fet d'	INF comp
Us oferim les nostres disculpes	per	
Us demanem disculpes		
Us preguem que accepteu les nostres excuses/disculpes		

g) **Per acomiadar-nos**

> *Us saludem atentament,*
> *Atentament,*
> *Cordialment,*

3. — Com a exercici pràctic de redacció d'una carta comercial, escolta la carta que es dicta a la cassette i completa-la.

Distingits senyors:

Per correu certificat us trametem una col·lecció de catàlegs de les .... i ho aprofitem per ....
No cal que us ponderem les qualitats de la nostra marca, que ....
....
Pels catàlegs veureu que ....
....
També us hem d'anunciar ....
....
Com sempre, els oferim els ....

Granollers, 12 de març de 1985

PETICIONS FORMALS ORALS

En el primer apartat d'aquesta unitat vèiem com es realitza una petició formal per escrit, ja que una instància no és sinó això. Però quan ens adrecem oralment a algú que no coneixem per sol·licitar algun favor, també usem un llenguatge formal. Molts exemples de peticions formals orals ja han aparegut anteriorment durant el curs. Però potser convé recordar-ne algunes expressions.

4. — **Per això, escriu les frases que sentiràs a la cassette, al costat del dibuix corresponent.**

LÈXIC, EXPRESSIONS I FRASES FETES

Substantius

avís *m aviso*
carnet (d'identitat, de conduir) *m carnet (de identidad, de conducir)*
certificat (d'estudis, mèdic, de penals) *m certificado (de estudios, médico, penales)*
cartilla (de la seguretat social, militar) *f cartilla (de la seguridad social, militar)*
declaració jurada *f declaración jurada*
denúncia *f denuncia*
documentació *f documentación*
firma *f* o signatura *f firma*
fotocòpia *f fotocopia*
imprès *m impreso*
llibre de família *m libro de familia*
pòlissa *f poliza*
sol·licitud *f solicitud*

Verbs

firmar o signar *firmar*

EXERCICIS ESCRITS

A) **Omple els documents següents a partir de les dades que s'hi adjunten.**

1. — Petició de permís de gual, adreçada al Sr. Cap de Serveis de Trànsit de l'Ajuntament de Barcelona.

   a) Dades de la persona sol·licitant:

   Nom: Ramon Serra i Bou.
   Lloc de naixement: Altafulla (Tarragonès)
   Data de naixement: 27-XI-1950
   Domicili: Carrer de La Pujada, núm. 1, Barcelona (Barcelonès).
   D.N.I. núm. 35.345.966

   b) Es tracta d'una persona que viu a Barcelona (al barri del Putxet) i ha comprat un terreny nou (Carrer de Sant Oriol, núm. 126), on vol edificar una torre amb garatge, i demana que li sigui concedit el gual corresponent.

   c) La instància es troba datada a Barcelona, el 3-5-1984.

   Senyor,
   Nom: ...., nascut a .... ,
   comarca de ...., el dia ..... de .... de ....,
   amb el D.N.I. núm. .... , amb domicili a .... ,
   comarca de ...., carrer ...., núm. .... us
   EXPOSA: QUE ....
   ....

Per la qual cosa us
DEMANA: QUE ....
....
Cosa que espera d'obtenir de la vostra amabilitat.

....................., ... d' .... de 19....

Sr. Cap de Serveis de Trànsit de l'Ajuntament de Barcelona

2. — Petició de visita, adreçada al Sr. Regidor de Cultura de l'Ajuntament de Vic.

   a) Nom de la persona que demana visita: Maria Carreres i Alonso.
   b) Objecte de la visita: demanar una subvenció de 350.000 ptes per preparar la Festa Major del barri de Gràcia (Vic).
   c) La petició de visita es troba datada a Vic, el 12-7-1984.

   Sr. Regidor de Cultura de l'Ajuntament de ....
   Nom: ....
   Objecte de la visita: ....
   ....
   ...., ... d .... de 19....

3. — Una invitació

   a) Càrrec de qui invita: Alcalde de Bell-lloc.
   b) Esdeveniment al qual s'invita: Conferència sobre "La pol·lució i el medi ambient" a càrrec del Dr. Xavier Porta i Reus, catedràtic de Biologia de la Universitat de Barcelona.
   c) Data de l'acte: 29-10-84
   d) Hora de l'acte: 20 h.
   e) Lloc de l'acte: Sala d'actes de la Biblioteca Popular.
   f) Data de tramesa de la invitació: 10-10-85

   L'ALCALDE DE ....
   té el goig d'invitar-vos a ....
   a càrrec de ....
   .... que se celebrarà el proper dia
   ..... d ...., a les .... a ....
   ...., ... d .... de 19.....

4. — Un rebut d'una quantitat.

   a) Centre que rep la quantitat: Llibreria Rambla.
   b) Entitat que abona la quantitat: Col·legi Josep Oriol (Avinguda Marquès, núm. 62. Manresa).
   c) Import: 42.765 ptes.
   d) Concepte: adquisició de llibres de text.
   e) Lloc de redacció: Olot.
   f) Data de redacció: 26-9-85.

   Hem rebut de .... la quantitat de
   .... ptes. ....
   (quantitat en xifres)   (quantitat en lletres)
   en concepte d' ...., (segons comprovants adjunts).
   ...., ... d' .... de 19....

SOLUCIÓ DELS EXERCICIS I TRANSCRIPCIÓ DELS DIÀLEGS

1. — DIÀLEG

Transcripció

TONI: Ets l'última?

NOIA: Sí.

TONI: Ho fan aquí, oi?

NOIA: Sí.

TONI: Véns per a un germà o per al nòvio?

NOIA: Jo he vingut a demanar que traslladin d'Universitat el meu expedient acadèmic. L'any que ve me'n vaig a viure a Tarragona.

TONI: Doncs jo vinc perquè em facin un certificat d'estudis per poder demanar pròrroga del servei militar. Escolta, demanar trasllat d'expedient és molt complicat?

NOIA: S'ha de fer una instància, com en tot.

TONI: M'encanten les instàncies. Les cremaria totes. Vejam, me la deixes veure? Excm. i Magf. Sr. Quin idioma és aquest?

NOIA: Abreviatura d'Excel·lentíssim i Magnífic Senyor.

TONI: Excel·lentíssim i Magnífic Senyor. Vols dir que no t'has passat? No és llepar massa?

NOIA: És la fórmula oficial. Ens hi hem d'adreçar així.

TONI: De debò? Sí que saps coses! Mariona-hola, Mariona-Tarrida i Planola, natural de Banyoles, que viu a hores d'ara a Barcelona, carrer Tramuntana, número 786, 1r., 2a., telèfon 301.49.65, amb el denei... Denei. Has posat denei?

NOIA: Sí.

TONI: Si no fos pels amics... Rectifica-ho. T'has fet un embolic. Denei.

NOIA: De. Ena. I. Document Nacional d'Identitat: set, set, zero, vuit, cinc, dos, nou, zero.

TONI: Molt bé, no t'enfadis. I què n'has de fer, d'aquest paper?

NOIA: Què vols que en faci! El vinc a entregar.

TONI: I te l'has inventat rumiant?

NOIA: L'he copiat del model que hi ha en aquest tauler de la paret, l'he passat a màquina a casa meva i avui el duc.

TONI: Doncs jo no porto res.

NOIA: I per què fas cua? Tu què busques? Una certificació acadèmica d'estudis, oi? El model que ara has de copiar i després passar a màquina és aquest d'aquí.

TONI: I per què no m'ho deia ningú? Tens bolígraf, maca?

NOIA: Sí.

TONI: Doncs copia, que et dicto.

NOIA: Quines penques!

TONI: Corre, que faig tard. Il·lustríssim Senyor Degà. Nom. Especialitat. Natural de. Comarca de. Exposo. Estrany, no?

NOIA: On diu nom, el teu nom.

TONI: Toni Juncosa i Cabot.

NOIA: On diu especialitat, la carrera que estàs fent.

TONI: Medicina.

NOIA: On diu natural de, lloc on has nascut.

TONI: Palma de Mallorca.

NOIA: Quan?

TONI: El 27 d'abril de 1959.

NOIA: On vius actualment?

TONI: Aquí, a Barcelona.

NOIA: Quin carrer?

TONI: Avinguda del Desastre d'Annual, 13, 3r., 2a.

NOIA: Telèfon?

TONI: 302.76.83.

NOIA: Quin número de Carnet d'Identitat tens?

TONI: El 41.085.290.

NOIA: On diu exposa, apunta-hi el que vols exposar.

TONI: Ets un pou de ciència. Vés escrivint. Exposo que necessito acreditar qualificacions, matrícules, assegurança escolar, bona conducta i d'altres... Déu meu, no m'acreditaran tantes coses, el meu crèdit no arriba a tant.

NOIA: Acreditant les qualificacions en tens prou en el teu cas, pallasso.

TONI: I demano que em sigui lliurada la corresponent certificació. Barcelona, tants de tants de mil nou-cents tants. I ara he de tornar a casa i passar-ho a màquina i després tornar? Fantàstic! Gràcies i adéu, preciosa.

Solució

Excm. i Magfc. Sr. Rector,
Nom: Mariona *Tarrida* i *Planola,*
nascuda a *Banyoles*, comarca del *Gironès*, el dia *23* de *desembre* de *1964*, amb el D.N.I. núm. *77.085.290* (lliurat a Girona el dia 19 de març de 1982), ·amb domicili a *Barcelona*, comarca *del Barcelonès*, carrer *Tramuntana*, núm. *786*, tel. *301.49.65* us
EXPOSA: Que *el curs vinent ha de canviar de domicili.* Per la qual cosa us
DEMANA: Que *li sigui concedit el trasllat d'expedient acadèmic a la Universitat de Tarragona per poder continuar els estudis de (completa-ho amb el nom dels estudis que vulguis).* La qual cosa espera d'obtenir de la vostra amabilitat.

Barcelona, 16 de setembre de 1985

Excm. i Magfc. Sr. Rector de la Universitat de Barcelona.

Excm. i Magfc. Sr. Rector,

Nom: Toni *Juncosa* i *Cabot*
Nascut a *Palma de Mallorca*, el dia *27* d'*abril* de *1959*, amb el D.N.I. núm. *41.085.290* (lliurat a Palma de Mallorca el dia 22 de juny de 1982), amb domicili a *Barcelona*, comarca del *Barcelonès, Avinguda del Desastre d'Annual, núm. 13, 3r., 2a.,* tel. *302.76.83* us
EXPOSA: Que necessita *acreditar les qualificacions corresponents* al 1r. curs de la Facultat de Medicina, per poder sol·licitar pròrroga del servei militar. Per la qual cosa us
DEMANA: Que li sigui lliurada la certificació corresponent. Cosa que espera d'obtenir de la vostra amabilitat.

Barcelona, 16 de setembre de 1985

Excm. i Magfc. Sr. Rector de la Universitat de Barcelona.

2. — DIÀLEG

Transcripció

MUNICIPAL: Sí? Vostè dirà...
SENYORA: Vinc a fer una denúncia.
MUNICIPAL: De què es tracta?
SENYORA: Miri, doncs resulta que al costat de casa han obert un bar, i fan molt soroll.
MUNICIPAL: Com es diu, aquest bar?
SENYORA: Xivarri. És al carrer de la Riera Alta.
MUNICIPAL: Com s'escriu, això?
SENYORA: Ics, i, ve baixa, a, doble erra, i.
MUNICIPAL: A veure, expliqui'm exactament per què vol fer la denúncia.
SENYORA: Doncs miri, com li deia, al costat de casa han obert aquest bar i posen la música molt alta. Tant, que no em deixen ni dormir.
MUNICIPAL: Fins a quina hora posen música?
SENYORA: Fins cap allà a les tres, quarts de quatre.
MUNICIPAL: Digui'm el seu nom, sisplau.
SENYORA: Mercè Vivet i Molist.
MUNICIPAL: A quin carrer viu?
SENYORA: Al carrer de la Riera Alta, número 29, 1r., 2a., i aquest bar és al número 27. Tocant a casa, vaja, ja li ho he dit.
MUNICIPAL: Doni'm el seu telèfon, sisplau.
SENYORA: 302.62.89.
MUNICIPAL: I el número del carnet d'identitat, sisplau. 3, 7, 6, 2, 5, 9, 8, 6.
SENYORA: Miri, no es pensi pas que estigui en contra dels bars, però, això sí, que respectin els horaris i que la gent quan surti no faci xivarri. El nom sí que l'han ben encertat. Un dia, passa, però cada dia... Abans en aquest barri s'hi vivia molt bé, però ara, d'ençà que hi han posat tants bars, ja no és el que era. L'altre dia...

Solució

El/La Senyor/a: *Mercè Vivet i Molist*, amb el D.N.I. *37625986*, amb domicili a *Barcelona* (comarca del *Barcelonès*), carrer de *la Riera Alta*, núm. *29*, pis *1r., 2a.,* telèfon *302.62.89,*
DENUNCIA EL FET SEGÜENT: (*Vegeu transcripció del diàleg*).

Barcelona, 22 de novembre de 1985

(Signatura)

3. — **Transcripció i solució.**

Distingits senyors:

Per correu certificat us trametem una col·lecció de catàlegs de les *nostres màquines de cosir que ens heu sol·licitat*, i ho aprofitem per *enviar-vos el catàleg dels últims models que hem adquirit*.
No cal que us ponderem les qualitats de la nostra marca, que si, *de moment, no és tan coneguda com altres que ja fa anys que són al mercat, pot competir-hi amb dignitat i eficàcia i, no cal dir-ho, en preus.* Pels catàlegs veureu que *les nostres màquines són construïdes amb llicència d'una patent alemanya, molt acreditada en aquell país.*
També us hem d'anunciar *la visita que us farà el nostre representant d'aquí a uns quants dies, a fi que tingueu temps d'estudiar la documentació*

tramesa, i pugueu sotmetre-li els dubtes i qüestions que us pugui suggerir.
Com sempre, us oferim els *nostres serveis i us saludem atentament,*

Granollers, 12 de març de 1985

4. — **Solució**

Dibuix A
—**Pot enretirar una mica el cotxe, sisplau?**

Dibuix B
—**Per favor, firmi'm un autògraf.**

Dibuix C
—**Si me'l poguessin arreglar de seguida, em farien un favor.**

Dibuix D
—**Li faria res fer-nos una fotografia a la meva dona i a mi?**

Dibuix E
—**Que em podrien despertar demà a dos quarts de vuit, sisplau?**

Dibuix F
—**Jo voldria demanar un crèdit per comprar-me un pis, sap?**

SOLUCIÓ DELS EXERCICIS ESCRITS

A) **Ompliu els documents següents a partir de les dades que s'hi adjunten.**

1. — Petició de permís de gual, adreçada al Sr. Cap de Serveis de Trànsit de l'Ajuntament de Barcelona.

> Senyor,
> Nom: **Ramon Serra i Bou**, nascut a **Altafulla**, comarca del **Tarragonès**, el
> dia **27** de **novembre** de **1950**, amb el D.N.I. núm. **35.345.966**, amb domicili a
> **Barcelona**, comarca del **Barcelonès**, carrer **de la Pujada**, núm. **1** us
> EXPOSA: QUE **vol edificar una torre amb garatge al carrer de St. Oriol,**
> **número 126.** Por la qual cosa us
> DEMANA: QUE **li sigui concedit el gual corresponent.**
> Cosa que espera d'obtenir de la vostra amabilitat.
> **Barcelona, 3** de **maig** de **1984**
>
> *Sr. Cap de Serveis de Trànsit de l'Ajuntament de Barcelona*

2. — Petició de visita, adreçada al Sr. Regidor de Cultura de l'Ajuntament de Vic.

> Sr. Regidor de Cultura de l'Ajuntament de **Vic**
> Nom: **Maria Carreres i Alonso**
> Objecte de la visita: **Demanar una subvenció de**
> **350.000 ptes. per preparar la Festa Major del barri de Gràcia**
> **Vic, 12** de juliol de 1984

3. — Una invitació

L'ALCALDE DE Bell-lloc
té el goig d'invitar-vos a **la conferència sobre "La pol·lució i el medi ambient"** a càrrec del Dr. **Xavier Porta i Reus, Catedràtic de Biologia de la Universitat de Barcelona** que se celebrarà el proper dia **29** d'**octubre**, a les **20 h.** a **la sala d'Actes de la Biblioteca Popular.**

Bell-lloc, 10 d'**octubre** de 1985

4. — Un rebut d'una quantitat.

Hem rebut del **Col·legi Josep Oriol** la quantitat de **42.765** ptes. **quaranta-dues mil set-centes seixanta-cinc mil** en concepte d'**adquisició de llibres de text**, (segons comprovants adjunts).

Manresa, 26 de **setembre** de 1985

MALALTIES I ACCIDENTS
Accidents laborals i normes de seguretat

Objectius comunicatius

L'objectiu d'aquesta unitat didàctica és aprendre a:
— Parlar de les normes de seguretat en una feina i dir si es compleixen o no.
— Entendre i contestar les preguntes més usuals per establir un diagnòstic mèdic:
  On li fa mal?/Dorm bé?/Hi veu bé, ara?, etc.

NORMES DE SEGURETAT

1. — DIÀLEG

Un manobre que treballava en una construcció a l'Avinguda del Desastre ha tingut un accident. En Toni, fent valer els seus estudis de medicina, l'ha volgut auxiliar, però s'ha trobat malament i ha perdut els sentits. L'Alfonso i l'encarregat de l'obra els han dut a un ambulatori. En aquest moment estan esperant que els diguin què tenen.

Escolta el diàleg i contesta les preguntes següents:

1) Segons l'encarregat, què diuen les normes de seguretat respecte als treballadors d'una obra?
   — Que ....
   ....

2) Qui diuen que està més greu?
   — ....

En aquest diàleg heu sentit que es parlava d'algunes normes de seguretat per evitar accidents laborals. Hi ha unes feines més perilloses que unes altres, però en totes cal tenir present algunes precaucions que ens poden evitar prendre mal.

2. — Fixa't en aquests dibuixos. En tots ells podem veure com una persona comet una imprudència. Quina d'aquestes imprudències comet cada persona?

a) No ha desconnectat el corrent elèctric.
b) Fuma en un lloc perillós.
c) No porta guants protectors.
d) No va lligat amb una corda de seguretat i no duu casc.
e) No porta careta protectora.
f) Va amb un calçat inadequat i ha deixat el rampí en una posició perillosa.

3. — PRÀCTICA D'ESTRUCTURES

a) Mirant els dibuixos, escriu ara cinc frases en imperatiu, advertint del perill de sofrir un accident que corre cadascun dels personatges.

Ex. 1) **Lliga't** *amb la corda de seguretat, que pots* **caure**! (lligar-se, caure)

2) ....,
.... (posar-se, tallar-se)

3) ....,
.... (desconnectar, enrampar-se)

4) ....
.... (posar-se, entrar una brossa a l'ull)

5) ....
....
(posar el rampí dret, clavar-se'l al peu)

6) ....,
.... (apagar, calar-se foc)

CURES I DIAGNÒSTICS .

4. — Llegeix aquest text i busca el significat de les paraules que estan en negreta.

El paleta del primer dibuix **ha relliscat** *i,* **com que** *no anava* **lligat,** *ha caigut. S'ha fet* **un trenc** *al cap i s'ha donat un cop molt fort a l'esquena.* **Potser** *s'ha trencat alguna cosa. Li hauran de* **desinfectar** *la ferida i la hi hauran d'***embenar** *ben fort per tallar* **l'hemorràgia.** **De tota manera,** *l'hauran de dur a* **l'ambulatori** *tan de pressa com puguin, sense* **bellugar-lo** *gaire.* **Segurament** *li hauran de* **donar** *uns quants* **punts** *al cap i* **potser** *l'hauran d'***ingressar,** *segons* **la gravetat. Com que** *s'ha donat un cop al cap,* **gairebé segur** *que se'l quedaran quaranta-vuit hores en observació i* **probablement** *li hauran de posar* **una injecció antitetànica.**

5. — A continuació tens una llista de paraules relacionades amb cures i medicaments. Escriu a sota de cada dibuix el nom que li correspon.

alcohol (o esperit de vi)
bena
esparadrap
xeringa
crosses
cotó fluix
pinces
comprimits (pastilles)
tiretes
termòmetre
baiard (o llitera)
comptagotes
càpsules

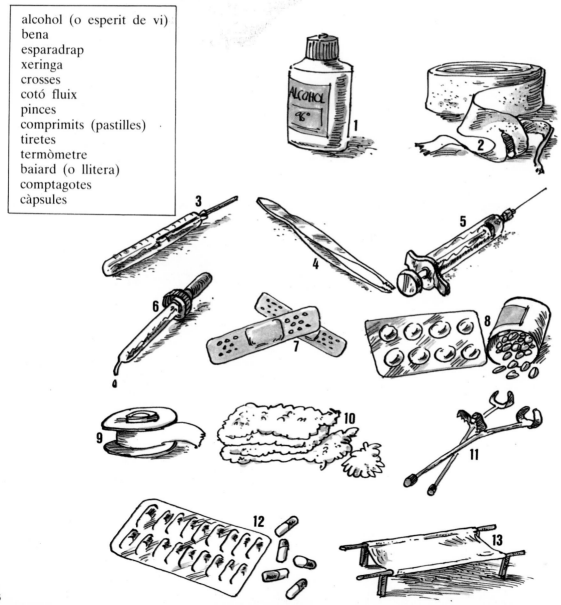

3⊟6. — **DIÀLEG**

Una persona va a un centre mèdic perquè li facin una revisió completa. Escolta el diàleg i omple aquesta fitxa d'acord amb el que sentiràs.

NOM:	Ricard Rius i Romero
VISTA:	
OÏDA:	
REVISIÓ GENERAL:	
DIAGNÒSTIC:	
TRACTAMENT:	SÍMPTOMES:

Observa que, en els diàlegs que acabes de sentir, hi apareixen els verbs **veure** i **sentir** uns cops amb el pronom **hi** i altres sense aquest pronom. Això és perquè **veure** i **veure-hi**, **sentir** i **sentir-hi** tenen significats diferents.

Veure i **sentir**, sense el pronom **hi**, requeriran sempre la presència, en forma explícita o pronominalizada, de la paraula que designa allò que es percep visualment o acústicament:

Si a les preguntes

Veu **aquelles lletres**? = **Les** *veu*?
Veu **allò**? = **Ho** *veu*?
Sent **el senyal acústic**? = **El** *sent*?
Sent **això**? = **Ho** *sent*?

responem

Sí, però no **les** *veig massa bé.*
No, no **ho** *veig.*
No, no **el** *sento.*
No sento **res**.

volem dir que percebem la visió o el so d'una cosa en concret (**aquelles lletres**, **allò**, **el senyal acústic**).

Veure-hi o **sentir-hi**, en canvi, expressen la possessió dels sentits de la vista i de l'oïda, respectivament. En aquest cas, no ens referim a la capacitat de percebre alguna cosa en concret, sinó a la capacitat de percebre en si mateixa.

Si a les preguntes   **Hi** *veus bé amb aquestes ulleres?*
                      Hi *sents?*

responem   *No, no* **hi** *veig gens bé.*
                   No, no **hi** *sento.*

volem dir que no posseïm o que tenim algun defecte físic que ens disminueix els sentits de la vista o de l'oïda.

Ara bé, amb el sentit de la vista, si el posseïm, però no el podem exercitar per alguna causa externa, farem servir la forma verbal **veure-s'hi**.

Ex. *És tan fosc que no* **m'hi** **veig** *gens* = la foscor (causa externa) m'impedeix *veure-hi.*

4 ⊟ 7. — PRÀCTICA D'ESTRUCTURES

Escolta els diàlegs següents.

—**Has vist què hi deia, aquí?**
▶**No, no** *ho he vist.*

—En Jordi m'ha passat pel costat i ni tan sols m'ha saludat.
▶**És que no** *hi veu* **gaire. És molt miop.**

Escolta i repeteix els diàlegs anteriors.

Practica-ho. Completa les frases següents amb els verbs **veure** o **veure-hi** segons convingui.

—Dóna'm les ulleres.
—On són? No .... enlloc.

—Per què enceneu el llum si encara és de dia?
—Perquè, si no, no ens ....

—No pots llegir aquell cartell?
—No, és que sense ulleres no .... gaire.

—Jo no puc treballar en un lloc tan fosc.
—Ah, doncs nosaltres ens .... perfectament.

—Les llegeixes més bé ara, les lletres?
—No, ara encara .... tot més borrós.

5 8. — **PRÀCTICA D'ESTRUCTURES**

Escolta els diàlegs següents.

—**L'Andreu és ben sord.**
▶**Sí, no** *hi sent* **gens.**

—**En Jaume et cridava.**
▶**Ah, doncs no** *l'he sentit.*

Escolta i repeteix els diàlegs anteriors.

Practica-ho. Completa les frases següents amb els verbs **sentir** o **sentir-hi** segons convingui.

—Em sembla que aquest només és sord de conveniència.
—Sí, perquè quan li interessa, ... tot perfectament.

—Digui...? Digui...! Aquest telèfon està espatllat... Jaume, ets tu?
—Sí, sóc jo. Que no ....?

—Hi ha notat alguna millora des que porta l'aparell?
—Oh i tant!, ara amb l'orella dreta .... molt bé.

—Aquest conferenciant parla molt baix, oi?
—Sí, el que és jo no .... res.

—Rosa...!, Rosa...! Res, ni cas!
—És que no .... gaire bé. Crida més.

6 9. — **EXERCICI DE COMPRENSIÓ**

Abans has sentit un diàleg en el qual es feia un diagnòstic de l'estat de salut d'una persona. Vegem ara tres situacions més en les quals un metge demana informació a un pacient per fer el seu diagnòstic. Escolta aquestes frases i escriu cada una d'elles sota el dibuix corresponent.

 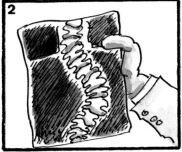 

Ex. *On li fa mal?*

....
....
....
....
....
....
....

....
....
....
....
....
....
....

....
....
....
....
....
....
....

SERRAR, **Serri** *les dents* = ("Apriete los dientes")
MASTEGAR, *Quan* **mastega**, *li fa mal?* = (¿Cuando mastica, le duele?")

10. — A quin d'aquests tres dibuixos correspondrien aquestes paraules?

arrencar	desviació	pantalla
càries	empastar	radiografia
columna	empastat	raigs X
corcar		

LÈXIC, EXPRESSIONS I FRASES FETES

Verbs

arrencar *arrancar, sacar (una muela)*
bellugar *mover, menear*
clavar-se *clavarse*
cosir/donar punts *coser/dar puntos*
curar *curar*
desinfectar *desinfectar*
embenar *vendar*
enguixar *enyesar*
enrampar-se *dar un calambre*
fer-ne cas *hacer caso de algo*
fer-se mal *hacerse daño*
ferir-se *herirse*
lligar-se *atarse*
operar *operar*
podar *podar*
punxar *pinchar*
relliscar *resbalar*
respirar *respirar*
sentir/sentir-hi *oir*
soldar *soldar*
tossir *toser*
veure/veure-hi/*ver*
veure-s'hi

Adjectius

aprensiu/-iva *aprensivo*
ferit/-ida *herido*

Substantius

ambulatori *m ambulatorio*
anàlisi *f análisis*
anestèsia *f anestesia*
apèndix *m apéndice*
baiard *m camilla*
bastida *f andamio*

bena *f venda*
blau/morat *m cardenal, morado*
brossa *f mota, brizna*
càpsula *f cápsula*
careta *f máscara*
càries *f caries*
cintura *f cintura*
columna *f columna*
comprimit *m comprimido*
comptagotes *m cuentagotas*
cotó fluix *m algodón*
desviació *f desviación*
escombriaire *m basurero*
esparadrap *m esparadrapo*
espardenya *f alpargata*
esperit de vi *m alcohol*
ferida *f herida*
hemorràgia *f hemorragia*
injecció *f inyección*
jardiner/-a *jardinero*
llitera *f litera, camilla*
norma de seguretat *f norma de seguridad*
oïda *f oído*
pantalla *f pantalla*
pastilla *f pastilla*
radiografia *f radiografía*
raigs X *m rayos X*
rajola *f ladrillo, baldosa*
rampí *m rastrillo*
respiració artificial *f respiración artificial*
soldador/-a *soldador*
termòmetre *m termómetro*
teulada *f tejado*
tireta *f tirita*
trenc *m descalabradura, herida en la cabeza*
vista *f vista*
xeringa *f jeringa*

SOLUCIÓ DELS EXERCICIS I TRANSCRIPCIÓ DELS DIÀLEGS

1. — DIÀLEG

Transcripció i solució

ENCARREGAT: Doncs ja fa mitja hora que ens esperem. Com si jo pogués perdre el temps.

ALFONSO: Vol dir que l'hi tornaran viu, el seu manobre? La ferida no m'agrada gens. No m'estranyaria que se li gangrenés. Segur que la rajola que li ha caigut al cap no estava desinfectada.

ENCARREGAT: Desinfectarem tot el material de l'obra, si li sembla.

ALFONSO: Vol dir que no ho contemplen, això, les normes de seguretat?

ENCARREGAT: Les normes diuen que vagin amb casc i que es lliguin si treballen enfilats en alguna bastida. Es pensa que en fan cas? I després ells es poden morir, però les angúnies són per a mi.

RECEPCIONISTA: Ja està.

ENCARREGAT: Què?

ALFONSO: És greu?

RECEPCIONISTA: El que diuen que és metge, poca cosa. Ara sortirà, ell rai. L'altre no ens agrada i l'hem enviat a l'hospital, perquè l'ingressin.

2. — Solució

1) *No va lligat amb una corda de seguretat i no duu casc.*
2) *No porta guants protectors.*
3) *No ha desconnectat el corrent elèctric.*
4) *No porta careta protectora.*
5) *Va amb un calçat inadequat i ha deixat el rampí en una posició perillosa.*
6) *Fuma en un lloc perillós.*

3. — PRÀCTICA D'ESTRUCTURES

Transcripció i solució possible

1) — *Lliga't amb la corda de seguretat, que pots caure!*
2) — *Posa't guants protectors, que et pots tallar!* (o *que pots tallar-te!*)
3) — *Desconnecta el corrent, que et pots enrampar!* (o *que pots enrampar-te!*)
4) — *Posa't la careta protectora, que et pot entrar una brossa a l'ull!* (o *que pot entrar-te una brossa a l'ull!*)
5) — *Posa el rampí dret, que te'l pots clavar al peu!* (o *que pots clavar-te'l al peu!*)
6) — *Apaga el cigarret, que es pot calar foc!* (o *que pot calar-se foc!*)

5. — Solució

1) *alcohol o esperit de vi*
2) *bena*
3) *termòmetre*
4) *pinces*
5) *xeringa*
6) *comptagotes*
7) *tiretes*
8) *comprimits o pastilles*
9) *esparadrap*
10) *cotó fluix*
11) *crosses*
12) *càpsules*
13) *baiard o llitera*

6. — DIÀLEG

Transcripció

METGE 1: I ara llegeixi aquestes lletres que li aniré assenyalant.
PACIENT: Ics, e, i grega, pe, ena, ce, de, ema.
METGE 1: A veure, provi-ho amb aquests vidres. Hi veu més bé, ara?
PACIENT: No. Ara ho veig tot borrós. Ara!, ara hi veig molt bé. Les últimes lletres són una ce, una pe i una ve doble.
METGE 1: Molt bé. Té una mica de miopia, 0,75 a l'ull dret i 1 a l'ull esquerre. Hauria de dur ulleres per conduir i per mirar de lluny, però és poca cosa.
PACIENT: Sempre que vas a cal metge et troben alguna cosa...
METGE 1: Ara passi en aquella saleta i li faran les proves de l'oïda.
PACIENT: Gràcies. Bon dia.
METGESSA: Bon dia. Entri en aquesta cabina i posi's els auriculars, sisplau. Quan senti un so agut, aixequi el braç.
PACIENT: No sento res. Ara sí que el sento. Ara ja no el torno a sentir.
METGESSA: Molt bé, gràcies. Ara desvesteixi's, sisplau; en aquella habitació. Després, surti per la porta de l'altra banda.
PACIENT: Perdoni, però, hi sento bé?
METGESSA: Té una oïda perfecta.
PACIENT: Gràcies. Passi-ho bé, bon dia.
METGE 2: Estiri's aquí, sisplau. Si li pitjo aquí, li fa mal?
PACIENT: No.
METGE 2: I aquí? Si li faig mal, digui-m'ho.
PACIENT: Aquí, aquí em fa una mica de mal. Ui!, aquí em fa molt mal. L'apèndix, el tenim al costat dret, oi? A mi, on em fa mal és aquí, a l'esquerra.
METGE 2: Sí, però no en faci cas, d'això. A vegades tens l'apèndix inflamat i, en canvi, et fa mal a l'altra banda. És com un reflex. A veure, incorpori's una mica i tussi.
METGE 2: Una mica més fort.
METGE 2: Molt bé. Ara, respiri fondo. Així, molt bé. Ja està, ja es pot vestir.
PACIENT: Així, què li sembla, doctor?
METGE 2: L'única cosa que em preocupa és aquest dolor que sent al costat esquerre. Pot ser que no sigui res; però, per si de cas, s'hauria de fer unes anàlisis de sang. Moltes vegades els apèndixs no donen cap molèstia, i després s'hi ha de córrer. Faci's les anàlisis i, quan tingui els resultats, porti-me'ls.

Solució

NOM:	Ricard Rius i Romero
VISTA:	Miopia. 0,75 a l'ull dret i 1 a l'ull esquerre.
OÏDA:	Perfecta
REVISIÓ GENERAL:	SÍMPTOMES: Sent un dolor al costat esquerre. En general, però, està bé.
DIAGNÒSTIC:	Podria ser apendicitis.
TRACTAMENT:	S'ha de fer unes anàlisis de sang.

9. — EXERCICI DE COMPRENSIÓ

Transcripció i solució

1) Ex. —*On li fa mal?*
   — *Serri les dents ben fort.*
   — *Li fa mal sempre o només quan pren coses fredes?*
   — *Quan mastega, li fa mal?*

2) — *Dorm sobre fusta, vostè?*
   — *Treballa moltes hores assegut?*
   — *Des de quan li fa mal l'esquena?*

3) — *Fuma gaire?*
   — *Respiri fondo.*
   — *Es cansa fàcilment quan fa un esforç físic?*

10. — Solució

arrencar *(1)*
càries *(1)*
columna *(2)*
corcar *(1)*

desviació *(2)*
empastar *(1)*
empastat *(1)*

pantalla *(3)*
radiografia *(3)*
raigs X *(3)*

ESPORTS

Objectius comunicatius

L'objectiu d'aquesta unitat didàctica és aprendre a:
— Advertir de les conseqüències que pot comportar fer o deixar de fer alguna cosa.
— Entendre i donar instruccions per fer un determinat exercici físic.
— Dir en què consisteix un esport determinat i explicar les normes que el regulen.
— Opinar sobre activitats esportives: expressar preferències sobre esports, detallar avantatges i inconvenients de la pràctica d'un esport determinat.
— Narrar un esdeveniment esportiu.

CONSELLS I ADVERTIMENTS

1. — DIÀLEG

La Carme, la Neus i en Toni han anat a fer esport: han anat a córrer en un parc.

Escolta el diàleg i...

a) Contesta les preguntes següents:

— Quin esport fan?
— Qui està més cansat de tots?
— Qui va tenir la idea d'anar a fer exercici?
— Per què?
— Qui està més entusiasmat amb la idea de fer esport?

b) Completa les frases següents, segons el que diuen els personatges

— ...., que et canses.
— ...., que els músculs es refreden!
— Aneu amb compte de ...., eh!
— Aneu amb compte que ...., tant córrer.
— Sóc prudent! Au, ...
— Jo, de vostè, ..., em va dir.
— Jo, a vostè, li ....
— Jo, a vostè, concretament, ...
— No ho veus, que et podria reprendre? ....

c) Busca el significat de les paraules *arronsar(-se)*, *eixamplar*, *refredar*, *reprendre* i *vetllar*.

En el diàleg hem sentit dues vegades l'expressió

Aneu amb compte (*ANAR* amb compte)

per fer una advertència. Aquesta expressió equival a **vigileu** (*VIGILAR*). Com que es tracta d'una frase en imperatiu, podem conjugar-la segons la persona a la qual ens adrecem, de la manera següent:

vés vagi anem aneu vagin	amb compte!	=	vigila! vigili! vigilem! vigileu! vigilin!

si volem fer aquesta mateix advertència usant una sola paraula, podem dir

Alerta!
Compte!

Recorda que per fer advertiments o donar consells es poden construir altres frases, com ja hem vist en unitats anteriors. En el diàleg que acabes de sentir tornen a aparèixer, amb la mateixa funció, imperatius (aquí en forma negativa i, per tant, conjugats en present de subjuntiu):

No cantis!
No us atureu!

construccions com:

Jo, **de vostè** + COND
Jo li aconsellaria...
Jo li recomano...

i l'expressió

No (ho) veus que...?

MOVIMENTS

Per practicar qualsevol esport cal fer una sèrie de moviments per als quals el cos ha d'estar degudament entrenat. La gimnàstica és un exercici que és necessari en tots els esports i que ajuda a preparar els músculs per realitzar qualsevol esforç. Vegeu ara, a partir d'unes taules de gimnàstica, uns quants verbs en imperatiu que designen moviments.

AIXECAR-SE =
POSAR-SE DRET

AGENOLLAR-SE

ASSEURE'S

AJEURE'S =
ESTIRAR-SE

AJUPIR-SE

DOBLEGAR-SE

REPENJAR-SE

2. — Escolta en la cassette les instruccions d'un professor de gimnàstica i numera els dibuixos, segons l'ordre en què l'instructor dóna les instruccions. Pot haver-hi posicions repetides: per tant hi haurà dibuixos que tindran més d'un número.

3. — Aquests dibuixos representen un seguit de posicions ordenades d'uns exercicis gimnàstics. Ordena les instruccions que tens a continuació de cada un dels tres exercicis.

Exercici primer:

1 — Torna a la posició inicial.
2 — En aquesta posició asseu-te a terra cap al costat dret.
3 — Agenolla't a terra i estira els braços cap endavant.
4 — Torna a la posició inicial.
5 — Asseu-te sobre els peus.
6 — Ara el mateix exercici cap al costat esquerre.

Exercici segon i tercer (En aquestes instruccions els moviments dels exercicis 2 i 3 estan barrejats).

7 — En aquesta posició fes quatre salts endavant.

8 — Fes pressió amb les mans i aixeca tot el cos cap amunt fins que els braços estiguin ben estirats.

9 — Aixeca't mantenint la mateixa posició dels peus.

10 — Vés-te ajupint, mantenint el cos ben recte i repenjant-te sobre les puntes dels peus, fins que els genolls estiguin doblegats del tot.

11 — Estira't a terra, de bocaterrosa, amb les mans planes a terra a l'alçada de les espatlles i amb els braços flexionats.

12 — Posa't de puntetes, amb l'esquena ben dreta.

13 — Torna a flexionar els braços i estira't a terra.

4. — PRÀCTICA D'ESTRUCTURES

Escolta i repeteix el verb, en imperatiu

AGENOLLAR-SE   ►(Tu) Agenolla't
►(Vosaltres) Agenolleu-vos

Practica-ho: Mira els dibuixos i dóna les instruccions en imperatiu, en la persona que s'indica.

AIXECAR-SE

(tu)..............
— (vosaltres)..............

ESTIRAR-SE

— (vostès)...............
— (tu)................

AJEURE'S

— (vosaltres)...............
— (vostè)...............

REPENJAR-SE

— (vosaltres)..............
— (tu)..................

ASSEURE'S

— (tu)..................
— (vosaltres)................

AJUPIR-SE

— (tu)...............
— (vosaltres)...............

ESPORTS I JOCS

Córrer sol pot ser un esport. Jugar a futbol, també. Però si per córrer només cal un espai suficientment llarg i no hem de sotmetre'ns a cap altra limitació que les que voluntàriament ens vulguem imposar, per jugar a futbol necessitem formar un equip, un terreny d'unes mides determinades, unes porteries i una pilota; i, a més, hem de respectar unes regles, que són les que distingeixen aquest joc d'un altre (com, per exemple, el rugby). Vegeu a continuació el nom de diversos esports i algunes paraules que designen objectes, normes o altres conceptes relacionats amb jocs esportius.

ESPORTS

alpinisme	voleibol	bàsquet	boxa
ciclisme	esgrima	esquí	futbol
gimnàstica	handbol	hipisme (o hípica)	hoquei
judo	motorisme	natació	patinatge
ping-pong	rugbi	tennis	waterpolo

5. — Escolta aquests fragments de retransmissions d'esports i escriu al costat de cada número el nom del joc o de l'esport corresponent.

— 1 ....
— 2 ....
— 3 ....
— 4 ....
— 5 ....

Vocabulari: xarxa *red*
sacada *saque*
llistó *listón*
perxa *pértiga*
xiular *pitar*
passes *pasos*
escapolir-se *zafarse, librarse*
fora de quic *fuera de puerta*
linesman o linier *juez de línea*
cistella *canasta*
encistellar *encestar*
escomesa *acometida*

6. — Digues de quin esport es tracta

a) S'hi juga a dins d'una piscina. Cada partit consta de quatre parts de cinc minuts cada una. Guanya l'equip que fa més gols.

b) Hi juguen dos equips de sis jugadors cada un. El camp on es practica està dividit per una xarxa, per damunt de la qual els jugadors de cada equip han d'intentar fer passar la pilota.

c) És un esport col·lectiu practicat entre dos equips i que té com a finalitat introduir una pilota, impulsada per un *stick*, dins de la porteria de l'equip contrari. S'hi pot jugar sobre herba, sobre gel o en pista de ciment sobre patins.

d) És una prova atlètica que consisteix a llançar tan lluny com sigui possible una javelina.

e) La seva pràctica consisteix en la lluita entre dos contrincants, els quals, amb les mans nues, han d'intentar desequilibrar i tirar a terra el seu oponent, valent-se de l'impuls i de la força d'aquest.

LÈXIC, EXPRESSIONS I FRASES FETES

Verbs

agenollar-se *arrodillarse*
aixecar-se *levantarse*
ajeure's *echarse, tenderse*
ajupir-se *agacharse*
asseure's *sentarse*
córrer *correr*
doblegar(-se) *doblar(se)*
empatar *empatar*
estirar(-se) *tumbarse*
guanyar *ganar*
llançar *lanzar*
nedar *nadar*
perdre *perder*
recular *recular*
repenjar(-se) *apoyar(se)*
saltar *saltar*
xutar *chutar*

substantius

a) Esports *m Deportes*

alpinisme *m alpinismo*
atletisme *m atletismo*
automobilisme *m automovilismo*
bàsquet *m baloncesto*
boxa *f boxeo*
ciclisme *m ciclismo*
esgrima *f esgrima*
esquí *m esquí*
futbol *m fútbol*
gimnàstica *f gimnasia*
handbol *m balonmano*
hipisme *m hípica*
hoquei *m hockey*
judo *m judo*
motorisme *m motorismo*
natació *f natación*
patinatge *m patinaje*
ping-pong *m ping-pong*
rugby *m rugby*

tennis *m tenis*
voleibol *m balonvolea*
waterpolo *m waterpolo*

b) Elements i aparells *m elementos y aparatos*

cavall *m caballo*
cistella *f canasta*
disc *m disco*
javelina *f jabalina*
martell *m martillo*
patins *m patines*
pes *m peso*
perxa *f pértiga*
pilota *f pelota, balón*
piscina *f piscina*
pista *f pista*
porteria *f portería*
raqueta *f raqueta*
xarxa *f red*

c) Altres

àrbitre/-a *árbitro*
campió/-ona *campeón*
campionat *m campeonato*
competició *f competición*
carrera = cursa *f carrera*
davanter/-a *delantero*
defensa *defensa*
disciplina *f disciplina*
empat *m empate*
entrenament *m entreno*
equip *m equipo*
esport *m deporte*
falta *f falta*
jugador/-a *jugador*
jutge/jutgessa *juez*
partit *m partido*
porter/-a *portero*
salt *m salto*
triomf *m triunfo*

EXERCICIS ESCRITS

A) Troba els deu noms d'esports que hi ha en aquesta sopa de lletres. (Poden aparèixer a l'inrevés i en diagonal).

```
N  R  J  M  H  H  M  O  E
O  A  A  E  A  O  S  L  M
A  R  T  I  R  Q  L  O  S
R  A  N  A  I  U  J  B  I
E  T  L  A  C  E  U  T  T
S  E  M  X  A  I  D  U  E
V  N  A  O  O  E  O  F  L
N  L  O  B  D  N  A  H  T
M  L  E  S  G  R  I  M  A
```

B) Omple els espais buits amb les paraules que et semblin més adients de les que tens a continuació: *conduïdes, seu, final, ajornada, reprendre, va aconseguir, avantatge, obertura, favorit, enfrontament, campió, triomf.*

KASPÀROV ASSOLÍ EL SEU PRIMER PUNT DAVANT KÀRPOV

El candidat al títol mundial d'escacs, el soviètic Garry Kaspàrov, ... ahir la seva primera victòria davant de l'actual campió, el .... compatriota Anatoli Kàrpov, que domina el matx per 5-1 i que continua essent el màxim .... atès que es troba a només un punt del .... definitiu. Kaspàrov féu el seu primer punt tres mesos després de l'inici de l'................., quan el seu rival decidí de no .... el joc de la 32.ª partida que havia estat .... la vigília en el moviment 41. En el moment de l'ajornament, les blanques, ... per Kaspàrov tenien un peó d'.................... i el seu rei estava ben protegit, en una .... de dames, amb el rei negre descobert. El .... mundial reconegué ahir que havia mogut les seves peces d'una manera imprecisa a l'............

SOLUCIÓ DELS EXERCICIS I TRANSCRIPCIÓ DELS DIÀLEGS

1. — DIÀLEG

Transcripció

NEUS: De bon matí, quan els estels es ponen, hem de sortir a escalar el pic gegant!

TONI: No cantis, Neus... No cantis, que et canses.

NEUS: Cantar eixampla els pulmons!

CARME: Que ens falta molt?

NEUS: Dues voltes al circuit, parada de cinc minuts i tornar a començar!

TONI: Prou!

CARME: Ui, què et passa?

NEUS: No us atureu, que els músculs es refreden!

TONI: He dit que prou! Aquí, el metge sóc jo.

NEUS: Tant com metge...

TONI: Fins aquest punt podríem arribar! Per ser el primer dia que sortim a fer footing ja està més que bé! Aneu amb compte de no excedir-vos, eh? Aneu amb compte que no tinguéssiu un atac de cor, tant córrer!

CARME: Vols dir?

NEUS: Jo estic fresca com una rosa.

TONI: T'ho sembla!

NEUS: Però si la idea va ser teva! A què ve ara arronsar-se d'aquesta manera?

TONI: No m'arronso, sóc prudent! Au, seguem i respirem l'aire pur. Ja que aquell parell de bandarres no volen venir, sóc jo qui he de vetllar per vosaltres.

CARME: Aquell parell de bandarres suposo que són en Miquel i l'Alfonso. Toni, ara que hi penso, ¿com és que darrerament t'ha agafat per intentar convèncer tothom que cal fer esport?

TONI: La vida té casualitats que et situen davant la veritat. L'altre dia, com recordareu, un terrible equívoc va fer que anés a parar a l'hospital.

NEUS: I sort que l'Alfonso va arribar a temps d'impedir que t'operessin de no sé què.

TONI: Però de tota manera em van fer anàlisis, i el metge em va agafar i em va dir que no és que tingués cap malaltia, que no és que em passés res, però que vist per dintre jo era com un moc. Un moc, va dir. Jo, de vostè, faria esport, em va dir. Jo, a vostè, li aconsellaria activitat. Jo, a vostè, concretament, li recomano que faci gimnàstica o que corri una mica cada dia. I au, quin remei toca, et fumen la por al cos i a fer esport.

NEUS: I nosaltres amb tu. Una idea excel·lent! Apa, anem, ja hem descansat prou.

TONI: Espera't, insensata! No ho veus, que et podria reprendre? Les coses s'han d'agafar amb més calma. No ho dic per mi. Jo, imagina't. Ho dic pel vostre bé. I si tornéssim a casa? Caldria que no exageréssim el primer dia.

CARME: Si et sembla...

VELLETA: Bon dia. Què, ja han fet figa? Descansin, joves, descansin.

NEUS: Ah, no! On arribi aquesta vella, també hi arribo jo!

CARME: Doncs té raó, què caram!

TONI: Espereu-me! Mira que també...! Espereu-me! Aguanta el tipus, Toni, que no sigui dit! Maleït sigui!

a) Solució

— Footing
— En Toni
— En toni
— Perquè el metge li ho va recomanar
— La Neus

b) **Solució**

— *No cantis*, que et canses
— *No us atureu*, que els músculs es refreden!
— Aneu amb compte de *no excedir-vos*, eh?
— Aneu amb compte que *no tinguéssiu un atac de cor*, tant córrer!
— Sóc prudent! Au, *seguem i respirem l'aire pur*.
— Jo, de vostè, *faria esport*, em va dir.
— Jo, a vostè, li *aconsellaria activitat*.
— Jo, a vostè, concretament *li recomano que faci gimnàstica o que corri una mica cada dia*.
— No ho veus, que et podria reprendre? *Les coses s'han d'agafar amb més calma*.

2. — **Transcripció**

Exercici primer.
UN: Estireu-vos a terra, de bocaterrosa, amb les cames juntes i els braços en creu. Va! DOS: Aixequeu el cos i les cames, mantenint la panxa com a únic punt de contacte amb el terra. Serviu-vos de la força dels braços, estirant-los cap amunt. Va! TRES: Torneu a la posició inicial. Va! Cinc cops. I un, i dos, i tres...

Exercici segon.
QUATRE: Ajaieu-vos a terra, de panxa enlaire, amb les cames juntes i els braços al costat del cos. Va! CINC: Incorporeu-vos de cintura en amunt, deixant les cames en la mateixa posició i sense doblegar-les. Toqueu-vos amb les mans les puntes dels peus. Va! SIS: Torneu a la posició inicial. Va! Cinc cops. I un, i dos, i tres...

Exercici tercer.
SET: Manteniu la posició anterior, però ara poseu-vos les mans sota el clatell. Va! VUIT: Sense aixecar les cames aneu incorporant-vos fins a quedar asseguts. Va! NOU: Torneu a la posició inicial. Va! I un, i dos, i tres...

Exercici quart.
DEU: Poseu-vos drets amb les cames obertes i els braços enlaire. Va! ONZE: Aneu baixant el cos lentament fins que les mans us toquin a terra. Va! DOTZE: Gireu la cintura cap a la dreta, de manera que el nas s'acosti al genoll i toqueu-vos amb les mans la punta del peu dret, sense doblegar les cames. Va! TRETZE: Torneu a la posició central. Va! CATORZE: Gireu la cintura cap a l'esquerra i toqueu-vos la punta del peu esquerre. Va! QUINZE: Torneu a la posició central. Va! SETZE: Aneu-vos incorporant, redreçant l'espinada vèrtebra per vèrtebra. Va! Cinc cops. I, un, i dos, i tres...

Solució

Exercici primer
1 → J; 2 → A; 3 → J

Exercici segon
4 → C; 5 → B; 6 → C

Exercici tercer
7 → H; 8 → E; 9 → H

Exercici quart
10 → I; 11 → G; 12 → D; 13 → G; 14 → F; 15 → G; 16 → I

3. — Solució

Exercici primer	Exercici segon	Exercici tercer
A → 3	A → 12	E → 11
B → 2	B → 10	F → 8
C → 4/1	C → 7	G → 13
D → 6	D → 9	
E → 1/4		
F → 5		

5. — Transcripció

Primer
El servei està en poder del jugador suec. Aquesta pot ser una bona oportunitat perquè s'adjudiqui el joc i, per tant, el set. Es disposa a servir... No! La pilota ha anat directament a la xarxa i l'àrbitre no ha donat per bona la sacada.

Segon
L'atleta romanès es disposa a intentar per tercera vegada superar el llistó situat a cinc metres i cinquanta centímetres. Veiem com ara agafa la perxa i pren carrera... I ho aconsegueix. Al tercer intent ho ha aconseguit.

Tercer
Queden només dos minuts i continua l'empat a dotze gols. La pilota ara en possessió de l'equip alemany, però els iugoslaus es tanquen molt bé darrere, en defensa... Els alemanys intenten una penetració, llancen... i el porter atura la pilota. Ràpid contraatac dels iugoslaus... i l'àrbitre xiula passes del jugador número cinc iugoslau... Més emoció, impossible!

Quart
El davanter s'escapoleix de l'escomesa del defensa hongarès i intenta centrar, però la pilota ha sortit fora de quic a la dreta de la porteria defensada pel porter hongarès... L'àrbitre, però, assenyala còrner a instàncies del linesman, que manté la bandera alçada. Es disposa a picar el còrner el jugador número set de la selecció escocesa, que ocupa la posició teòrica de mig volant esquerre. Xuta ara... i entra la pilota, però l'àrbitre anul·la el gol per posició antireglamentària del davanter centre escocès. Un orsai força dubtós, des del meu punt de vista.

Cinquè
Contraatac ràpid de l'equip local. Assistència perfecta cap al pivot que llança a cistella i... tap d'un defensa visitant que impedeix que entri la pilota. Però l'àrbitre ja havia assenyalat personal del número sis. És la seva tercera falta personal... Ara l'equip local disposa de dos tirs lliures. Llança el primer i... encistella!

Solució

1 — tennis
2 — salt de perxa
3 — handbol
4 — futbol
5 — bàsquet

6. — Solució

a) waterpolo
b) voleibol
c) hoquei
d) llançament de javelina
e) judo

SOLUCIÓ DELS EXERCICIS ESCRITS

A) Troba els deu noms d'esports que hi ha en aquesta sopa de lletres. (Poden aparèixer a l'inrevés i en diagonal).

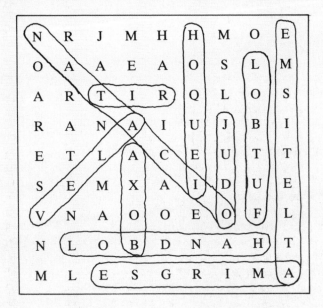

B) Omple els espais buits amb les paraules que et semblin més adients de les que tens a continuació: *conduïdes, seu, final, ajornada, reprendre, va aconseguir, avantatge, obertura, favorit, enfrontament, campió, triomf.*

KASPÀROV ASSOLÍ EL SEU PRIMER PUNT DAVANT KÀRPOV

El candidat al títol mundial d'escacs, el soviètic Garry Kaspàrov, *va aconseguir* ahir la seva primera victòria davant de l'actual campió, el *seu* compatriota Anatoli Kàrpov, que domina el matx per 5-1 i que continua essent el màxim *favorit* atès que es troba a només un punt del *triomf* definitiu. Kaspàrov féu el seu primer punt tres mesos després de l'inici de l'*enfrontament*, quan el seu rival decidí de no *reprendre* el joc de la 32a partida que havia estat *ajornada* la vigília en el moviment 41. En el moment de l'ajornament, les blanques, *conduïdes* per Kaspàrov, tenien un peó d'*avantatge* i el seu rei estava ben protegit, en una *final* de dames, amb el rei negre descobert. El *campió* mundial reconegué ahir que havia mogut les seves peces d'una manera imprecisa a l'*obertura*.

FUTUR
Prediccions

Objectius comunicatius

L'objectiu d'aquesta unitat és aprendre a:

— Fer prediccions i opinar sobre el sistema de vida en el futur (avenços tecnològics, organització política i social, relacions humanes, professions, etc.)

PREDICCIONS

1. — DIÀLEG

La Sra. Mercè, en Toni, l'Alfonso, la Neus, en Miquel i la Carme estan fent suposicions sobre com serà el futur.

Escolta el diàleg i completa aquestes intervencions de...

La Neus: — És probable que els extraterrestres ....
.... finalment amb nosaltres.
— És ben possible que ....
com diu en Toni.
— Evidentment, ... Ja ho pots ben dir. No és probable que la humanitat ....
....

L'Alfonso: — Vés a saber si el món .... que estarà en mans dels taxistes, l'any 2025. Semblaria lògic que ....
.... i que els taxistes .... els amos.

En Miquel: — No és probable que .... taxis .... d'una banda a l'altra amb el pensament.
— Pot ser que ...., però a la millor has exagerat.

En Toni: — Els trasplantaments ....

La Carme: — Jo no sóc tan optimista. Penso que l'any 2025 els problemes d'avui dia, tots els problemes, qui sap si .... La població probablement .... o triplicat .... un autèntic drama d'habitatges. No ens podrem ni moure.

Sra. Mercè: — Tot ...., però, és clar, nosaltres ....

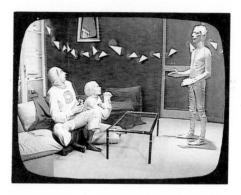

Fixa't que en aquest diàleg cadascun dels personatges, per fer prediccions, comença les frases amb expressions com:

És probable que...
És ben possible que...
No és probable que...
Semblaria lògic que...
Pot ser que...
Qui sap si...
Vés a saber si...
Molt probablement...

Observa que si la frase comença amb expressions com *És probable* **que**..., *És ben possible* **que**..., *No és probable* **que**..., *No és possible* **que**..., *Semblaria lògic* **que**..., *Pot ser* **que**... (totes elles amb la conjunció **que**) la predicció es fa en subjuntiu.

— *És probable* **que** *s'hagin* **comunicat** *amb nosaltres.*
— *És possible* **que** *les coses* **vagin** *com diu en Toni.*
— *Semblaria lògic* **que** *els vehicles particulars* **haguessin desaparegut.**

En altres casos es pot usar el futur simple o el futur compost.

— *L'any 2025* *li* **curaran** *la malaltia que tenia.*
— **Ens traslladarem** *d'una banda a l'altra amb el pensament.*
— **Qui sap si** *els problemes* **s'hauran multiplicat** *per cent.*
— **Molt probablement** *la població* **s'haurà duplicat** *o* **triplicat.**

El futur compost expressa una acció que preveiem com a acomplerta en el moment al qual ens referim.

L'any 2025 l'home ja **haurà arribat** *a Mart.*

El futur compost es fa amb l'auxiliar **haver**, conjugat en futur, i el participi del verb que designa l'acció que volem expressar.

Futur compost

hauré hauràs haurà haurem haureu hauran	PART

Resumint, per expressar una predicció, podem usar les construccions següents:

Segurament	+ fut comp	**S'hauran curat** *totes les malalties.* **Segurament s'hauran curat** *totes les malalties.*
Vés a saber si...		**Vés a saber si s'hauran curat** *totes les malalties*
Qui sap si...		**Qui sap si s'hauran curat** *totes les malalties.*
És probable que + SUBJ perf		**És probable que s'hagin curat** *totes les malalties.*
Semblaria lògic que + SUBJ plusq		**Semblaria lògic que s'haguessin curat** *totes les malalties.*

Per practicar aquestes construccions, en subjuntiu i en futur compost, fes els exercicis orals corresponents.

2. — PRÀCTICA D'ESTRUCTURES

2. Escolta aquest diàleg.

▶ *Segurament* **l'any 2000** *s'haurà* **curat la diabetis.**
—És probable.

Escolta i repeteix el diàleg anterior.

Practica-ho.

Substitueix | Segurament | per | Vés a saber si.../És probable que.../ Semblaria lògic que... |

i posa el verb en subjuntiu o futur compost, segons convingui.

3. Escolta i repeteix

▶ *Probablement* **l'any 2025** *s'haurà* **generalitzat l'ús del videotelèfon.**

Practica-ho.

Substitueix | Probablement | per | És molt possible que.../Semblaria lògic que.../ És previsible que... |

i posa el verb en subjuntiu o en futur compost, segons convingui.

Escolta i repeteix

4. ▶ *Vés a saber si* **l'home** *haurà* **arribat a Venus l'any 2030.**

Practica-ho.

Substitueix | Vés a saber si... | per | És probable que.../Segurament.../ No m'estranyaria que... |

i posa el verb en subjuntiu o en futur compost, segons convingui.

5. Escolta aquest diàleg.

—**Al segle XXI s'haurà substituït el menjar per les pastilles.**
▶ **No, no és probable que** *s'hagi substituït el menjar per les pastilles.*

Escolta i repeteix el diàleg anterior.

Practica-ho: Reprodueix la segona intervenció d'aquest diàleg, segons el model, substituint la part en cursiva per altres prediccions a partir del que sentiràs a la cassette.

3. — Mirant els dibuixos i a partir de les accions que il·lustren, completa les frases que hi ha a sota (en futur compost o en pretèrit perfet o plusquamperfet de subjuntiu).

1. — CONSTRUIR ciutats flotants.

2. — ARRIBAR al planeta Júpiter.

3. — FER els primers viatges turístics fins a la lluna.

4. — ELIMINAR la contaminació.

5. — ACABAR-SE el petroli i SUBS-TITUIR-SE per l'energia nu-clear.

6. — POBLAR l'Antàrtida.

7. — INTRODUIR els robots per fer les feines de casa.

8. — INVENTAR el tren supersònic.

9. — EDIFICAR ciutats al fons del mar.

Ex. *L'any 2025, és possible que ja* **s'hagin construït ciutats flotants.**

1 — Vés a saber si l'home ....
2 — És molt probable que ja ....
3 — Qui sap si ....
4 — Segurament ....
5 — Pot ser que ....
6 — Semblaria lògic que ....
7 — És ben possible que ....
8 — Potser ....

4. — **Llegeix aquest text i respon si són veritables (V) o falses (F) les afirmacions que hi ha a continuació.**

S'inventarà una medicina que deturarà el procés d'envelliment. El terme mitjà de vida anirà pujant fins a arribar als 200 anys. El petroli s'anirà acabant i haurem de dependre més de l'energia nuclear, si bé només s'atorgaran llicències d'explotació a les companyies elèctriques amb un alt grau de fiabilitat (es volen evitar accidents com els que s'han produït a diverses centrals nuclears). L'any 2000 s'haurà demostrat la possibilitat d'explotació comercial de la fusió i en el segle XXI aquesta serà la principal font d'energia. Les centrals termonuclears tindran una vida d'uns 50 anys després dels quals seran cobertes de ciment armat. La revolució en les telecomunicacions permetrà incorporar un radiotelèfon als rellotges amb el qual podrem parlar via satèl·lit amb qualsevol abonat d'arreu del món. El paper moneda pràcticament no s'utiltzarà i serà substituït pel diner electrònic. Els processos de la biologia permetran eliminar una sèrie de malalties hereditàries. Existirà la píndola anticonceptiva per a homes i una altra per a dones que es prendrà al dia "següent" en aixecar-se. El telescopi espacial permetrà desvetllar els misteris sobre l'edat i la creació de l'univers. Es muntarà una estació espacial permanent, la Spacehab, i l'home arribarà fins a Mart. Es faran missions no tripulades a Júpiter. Es desenvoluparan armes pulsàtils i làsers que podran destruir, des de l'espai, els míssils enemics. La televisió per cable es generalitzarà i serà interactiva (l'espectador podrà intervenir en el programa des de casa seva). Des de la pantalla de la TV domèstica es podrà accedir a la informació continguda a totes les biblioteques. Hi haurà ordinadors capaços d'entendre la veu humana i de traduir d'un idioma a un altre. Els cotxes duraran uns vint anys, si bé costaran el doble. Seran fets de plàstic i seran elèctrics amb una autonomia similar a la dels actuals automòbils. Les estacions de gasolina seran substituïdes per estacions de recàrrega de bateries.
Hi haurà cors artificials i també pàncrees i altres òrgans. Hi haurà sang artificial. S'inventaran medicines per als alcohòlics i per als drogaaddictes. Existirà un calmant del dolor no addictiu més potent que la morfina. Es curaran les fòbies. Existiran vacunes contra la tuberculosi i contra algunes formes de càncer.

(Extret d'un article de J. Puigbò, a la revista *Ciència*, núm., 32, novembre 1983, pàg. 59).

Segons aquest article, l'any 2000...
— L'esperança de vida serà molt superior a l'actual ( )
— Dependrem encara del petroli com a font energètica principal ( )
— Podrem establir comunicacions telefòniques amb habitants d'altres planetes ( )
— Gairebé no hi haurà paper moneda ( )
— S'hauran eliminat les pastilles anticonceptives per a les dones ( )
— L'home haurà arribat a Júpiter ( )
— Serà possible seleccionar programes de TV d'altres països ( )
— Hi haurà una guerra de galàxies ( )
— Es podrà accedir a la informació de les biblioteques des de casa mateix ( )
— No hi haurà estacions de gasolina ( )

LÈXIC, EXPRESSIONS I FRASES FETES

Verbs

arrasar *arrasar*
avançar *avanzar*
curar-se *curarse*
desenvolupar-se *desarrollarse*
edificar-se *edificarse*
eliminar *eliminar*
inventar-se *inventarse*
permetre *permitir*

Substantius

arma *f arma*
avenç *m avance, adelanto, progreso*
bomba *f bomba*
ciència *f ciencia*
canvi *m cambio*
energia (nuclear) *f energia (nuclear)*
espai *m espacio*
extraterrestre *m extraterrestre*
futur *m futuro*
font (d'energia) *f fuente (de energia)*
humanitat *f humanidad*
invent *m invento*
lluna *f luna*
malaltia *f enfermedad*
món *m mundo*
ordinador *m ordenador*
planeta *m planeta*
petroli *m petróleo*
robot *m robot*
telecomunicacions *f telecomunicaciones*

EXERCICIS ESCRITS

A) **Omple els buits de les frases incompletes amb els verbs que hi corresponguin conjugats convenientment.**

Ex. Seguramente s'inventarà una medicina que deturarà el procés d'envelliment.
Seguramente s'haurà inventat *un medicina que deturarà el procés d'envelliment.*

1 — El petroli s'acabarà i haurem de dependre de l'energia nuclear.
Vés a saber si el petroli .... i haurem de dependre de l'energia nuclear.

2 — El paper moneda es substituirà per diner electrònic.
És probable que el paper moneda .... per diner elèctronic.

3 — Es descobriran noves fonts energètiques.
Vés a saber si no .... noves fonts energètiques.

4 — Es curaran les fòbies.
Seguramente .... les fòbies.

5 — S'incorporarà un radiotelèfon als rellotges.
És probable que .... un radiotelèfon als rellotges.

6 — Hi haurà ordinadors capaços d'entendre la veu humana.
És probable que .... ordinadors capaços d'entendre la veu humana.

7 — L'home arribarà a Mart.
Vés a saber si l'home no .... a Mart.

B) **Posa en futur simple els verbs que hi ha entre parèntesis.**

La gent de la tercera edat .... (ajuntar-se) sense casar-se .... (haver-hi) més divorcis. Es preveu que els americans .... (casar-se) tres vegades: una per amor, l'altra per tenir fills i una tercera per tenir companyia. Els costums sexuals .... (evolucionar) .... (haver-hi) més mares solteres que .... (acceptar) la maternitat sense prejudicis socials. La humanitat .... (tornar-se) més individualista i això .... (fer) que la taxa de naixements baixi.

C) **Torna a escriure aquestes frases d'una manera ordenada, posant-hi els articles i les preposicions que calgui.**

1 — Probable és que no contaminació hi hagi.
....

2 — Home més tindrà lliure temps dedicar-se aficions seves.
....

3 — Totes hi haurà cases personals ordinadors.
....

4 — Aeris reemplaçats satèl·lits controladors seran.
....

5 — Estacions seran substituïdes recàrrega bateries estacions gasolina.
....

SOLUCIÓ DELS EXERCICIS I TRANSCRIPCIÓ DELS DIÀLEGS

1. — DIÀLEG

Transcripció i solució

NEUS: Mireu què hi diu aquí, al diari: "Un milionari, abans de morir-se, ha manat que l'hivernessin. L'any 2025, si la ciència ha avançat tal com pensa, el descongelaran i li curaran la malaltia que tenia".

MIQUEL: Un optimista.

NEUS: Jo també ho faria, si pogués.

SRA. MERCÈ: Jo no ho necessito. L'any 2025 em trobaré tan bé com ara, si Déu vol.

ALFONSO: Ah, sí?

SRA. MERCÈ: Per descomptat.

NEUS: Com us l'imagineu, l'any 2025? És probable que els extraterrestres *s'hagin comunicat* finalment amb nosaltres...

ALFONSO: I què vols que hi vinguin a fer, al món, els extraterrestres

NEUS: Justícia!

ALFONSO: Vés a saber si el món *no haurà evolucionat tant* que estarà en mans dels taxistes, l'any 2025. Semblaria lògic que *els vehicles particulars haguessin desaparegut* i que els taxistes *fóssim* els amos.

MIQUEL: No és probable que *necessitem* taxis. *Ens traslladarem* d'una banda a l'altra amb el pensament. Pensaràs el lloc on vols anar i, plaf, ja hi seràs.

TONI: L'any 2025 la societat estarà en mans dels metges.

ALFONSO: És clar que sí! Què has de dir, tu?

TONI: Sempre la veritat. Els trasplantaments *revolucionaran el món*.

NEUS: És ben possible que en *el futur les coses vagin* com diu en Toni.

MIQUEL: Ja pot ser, ja.

CARME: Jo no sóc tan optimista. Penso que l'any 2025 els problemes d'avui dia, tots els problemes, qui sap si *s'hauran multiplicat per cent*. La població molt probablement *s'haurà duplicat* o triplicat. *Hi haurà* un autèntic drama d'habitatges. No ens podrem ni moure.

MIQUEL: Pot ser *que les coses l'any 2025 passin com tu dius*, però a la millor has exagerat.

NEUS: Evidentment, *has exagerat*, ja ho pots ben dir. No és probable que la humanitat *arribi a ser tan desgraciada*.

MIQUEL: Dona, jo penso que la Carme ha exagerat, però, contra el que ella es pensa, ha exagerat per massa optimista.

ALFONSO: Doncs com ho veus, tu?

MIQUEL: Que com ho veig jo? Més clar no ho pot ser. Les bombes *hauran arrasat el món i no hi quedarà* absolutament res. Res excepte jo, naturalment.

ALFONSO: Ja, ja. No m'estranyaria que tinguessis raó en tot, excepte en això que tu hi quedis per llavor. I vostè, senyora Mercè, que encara no ha dit res...?

SRA. MERCÈ: Tot això que dieu és molt interessant, però jo m'imagino el futur molt diferent de tal com l'heu anat pintant.

CARME: I com se l'imagina, senyora Mercè?

SRA. MERCÈ: Oh, és molt senzill. Tot *serà exactament igual que ara*, però, és clar, nosaltres *molt més vells*.

3. — Solució

1. — Vés a saber si l'home haurà arribat al planeta Júpiter.
2. — És molt probable que ja s'hagin fet els primers viatges turístics fins a la lluna.
3. — Qui sap si s'haurà eliminat la contaminació.
4. — Segurament s'haurà acabat el petroli i s'haurà substituït per l'energia nuclear.
5. — Pot ser que s'hagi poblat l'Antàrtida.
6. — Semblaria lògic que s'haguessin introduït els robots per fer les feines de casa.
7. — És ben possible que s'hagi inventat el tren supersònic.
8. — Potser s'hauran edificat ciutats al fons del mar.

4. — Solució

V / F / F / V / F / F / V / F / V / F

SOLUCIÓ DELS EXERCICIS ESCRITS

A) **Omple els buits de les frases incompletes amb els verbs, que hi corresponguin, conjugats convenientment.**

Ex. *Segurament* **s'inventarà** *una medicina que deturarà el procés d'envelliment.*
Segurament **s'haurà inventat** *una medicina que deturarà el procés d'envelliment.*

1. — El petroli s'acabarà i haurem de dependre de l'energia nuclear.
Vés a saber si el petroli **s'haurà acabat** i haurem de dependre de l'energia nuclear.

2. — El paper moneda es substituirà per diner electrònic.
És probable que el paper moneda **s'hagi substituït** per diner electrònic.

3. — Es descobriran noves fonts energètiques.
Vés a saber si no **s'hauran descobert** noves fonts energètiques.

4. — Es curaran les fòbies.
Segurament **s'hauran curat** les fòbies.

5. — S'incorporarà un radiotelèfon als rellotges.
És probable que **s'hagi incorporat** un radiotelèfon als rellotges.

6. — Hi haurà ordinadors capaços d'entendre la veu humana.
És probable que **hi hagi** ordinadors capaços d'entendre la veu humana.

7. — L'home arribarà a Mart
Vés a saber si l'home no **haurà arribat** a Mart.

B) **Posa en futur simple els verbs que hi ha entre parèntesis.**

La gent de la tercera edat **s'ajuntarà** (ajuntar-se) sense casar-se. **Hi haurà** (haver-hi) més divorcis. És preveu que els americans **es casaran** (casar-se) tres vegades: una per amor, l'altra per tenir fills i una tercera per tenir companyia. Els cotums sexuals **evolucionaran** (evolucionar) **Hi haurà** (haver-hi) més mares solteres que **acceptaran** (acceptar) la maternitat sense prejudicis socials. La humanitat **es tornarà** (tornar-se) més individualista i això **farà** (fer) que la taxa de naixements baixi.

C) **Torna a escriure aquestes frases d'una manera ordenada, posant-hi els articles i les proposicions que calgui.**

1. — Probable és que no contaminació hi hagi.
   És probable que no hi hagi contaminació.

2. — Home més tindrà lliure temps dedicar-se aficions seves.
   L'home tindrà més temps lliure per dedicar-se a les seves aficions.

3. — Totes hi haurà més cases personals ordinadors.
   A totes les cases hi haurà ordinadors personals.

4. — Aeris reemplaçats satèl·lits controladors seran.
   Els controladors aeris seran reemplaçats per satèl·lits.

5. — Estacions seran substituïdes recàrrega bateries estacions gasolina.
   Les estacions de gasolina seran substituïdes per estacions de recàrrega de bateries.

SOCIETAT I POLÍTICA
Opinions

Objectius comunicatius

L'objectiu d'aquesta unitat didàctica és aprendre a:

— Entendre i donar una opinió sobre alguns aspectes de la situació política i de la societat actual.
— Entendre i donar informació sobre Catalunya.

Les qüestions que afecten la vida social i política són temes de conversa freqüents. L'atur, la delinqüència, el cost de la vida, els costums socials, etc. són el centre de discussions apassionants i molt sovint apassionades. Tothom té els seus punts de vista particulars sobre aquestes qüestions i a tothom li agrada poder manifestar-les i poder defensar-les. És per això, perquè és un tema sovint present en l'activitat comunicativa d'una persona, que dediquem una unitat a parlar de política i societat, dins l'àrea temàtica d'*opinions*.

En aquesta unitat hi ha alguns exercicis que no demanen una resposta única i tancada, ja que consisteixen a expressar opinions particulars que, com a tals, poden ser lliures i obertes. Són exercicis en els quals no importa tant la resposta en si com el fet de familiaritzar-se amb les paraules catalanes més usuals per a qüestions relacionades amb aspectes de l'activitat sociopolítica.

OPINIONS SOBRE POLÍTICA I SOCIETAT

1. — DIÀLEG

La senyora Mercè ha sofert un atracament a la sortida d'un banc. Summament indignada, ho explica a en Toni, l'Alfonso i en Miquel.

Escolta el diàleg i anota les opinions que expressen la Sra. Mercè i en Miquel sobre la delinqüència.

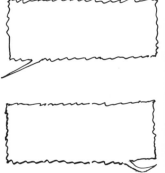

En el diàleg que acabes de sentir han aparegut dues paraules que designen temes de gran importància social: **la delinqüència** i **l'atur**. Però, a part d'aquestes dues, n'han aparegut d'altres de relacionades amb l'activitat política i social. Recordem-les:

denúncia	ajuntament	democràcia	votar
mesures	Generalitat	conservador/-a	impostos
seguretat ciutadana	govern	reccionari/-ària	
ordre	ministeri	de dretes	

Hi ha d'altres temes que constitueixen el nucli de màxim interès en l'activitat política per la seva incidència directa sobre la societat. Són els temes sobre els quals els partits polítics s'han de definir a l'hora de concórrer a unes eleccions, ja que són els que concreten el seu missatge electoral.

2. — Aquesta podria ser una llista de diversos temes tractats en els programes electorals de diferents partits polítics. Anota, en el quadre de sota, com et sembla que tractaria aquests temes un partit de dretes i com ho faria un d'esquerres.

— Impostos. (Reducció/Augment).
— Inversió pública. (Reducció/Augment).
— Afavoriment de l'empresa privada/pública.
— Prestacions socials. (Reducció/Increment).
— Lliuta contra la inflació/contra l'atur.
— L'escola pública/privada.
— Seguretat ciutadana. (Mesures repressives/Mesures preventives).
— Control de natalitat. (Despenalització de l'avortament. Planificació familiar/Penalització de l'avortament).
— Reducció de la jornada laboral. (A favor/En contra).
— Vinculació a l'OTAN. (A favor/en contra).
— Sectors marginals: homosexuals, delinqüents juvenils, drogaaddictes, ... (Integració/Repressió).
— Medicina pública/privada.

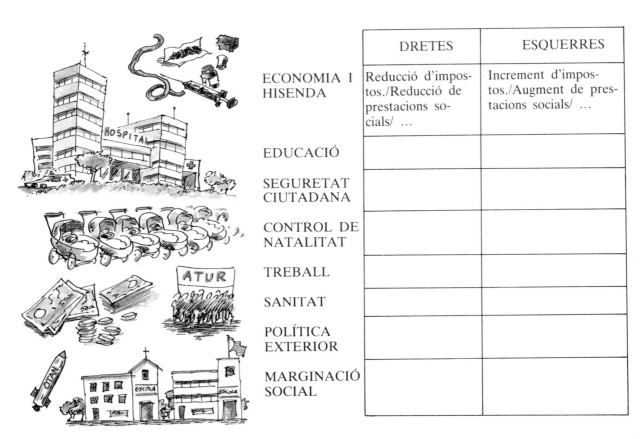

	DRETES	ESQUERRES
ECONOMIA I HISENDA	Reducció d'impostos./Reducció de prestacions socials/ ...	Increment d'impostos./Augment de prestacions socials/ ...
EDUCACIÓ		
SEGURETAT CIUTADANA		
CONTROL DE NATALITAT		
TREBALL		
SANITAT		
POLÍTICA EXTERIOR		
MARGINACIÓ SOCIAL		

La clàssica divisió entre *dretes* i *esquerres* queda matisada per la pluralitat de partits polítics. Això ve donat pel fet que hi pot haver col·lectius socials que estiguin d'acord amb molts dels punts que acabem de veure, però que, en canvi, difereixin radicalment en alguns altres. El sistema de partits polítics permet que els ciutadans donin suport al que ofereixi un programa d'actuació més afí a la seva opinió particular. El fet d'estar afiliat a un partit polític o de simpatitzar amb algun d'ells més que amb els altres és també una manera d'expressar una opinió.

2 3. — **EXERCICI DE COMPRENSIÓ**

A continuació sentiràs vuit persones que manifesten les seves opinions sobre els temes polítics que consideren més importants. Apunta en el quadre els temes que plantegen (en tens una llista al costat) i el nom del partit amb el qual creus que estaria més d'acord cada un dels personatges.

Personatges	TEMÉS PLANTEJATS	Partit
1		
2		
3		
4		
5		
6		
7		
8		

TEMES
— Acció directa.
— Atur.
— Autogestió.
— Crisi econòmica.
— Delinqüència.
— Ètica.
— Família.
— Integració a Catalunya.
— Lluita de classes.
— Moralitat.
— Nacionalisme d'esquerres.
— Progrés de Catalunya.
— Reforma de l'Estatut.
— Reforma industrial.
— Sanejament de l'Administració.
— Terrorisme.
— Unitat d'Espanya.
— Unitat de l'Esquerra.
— Unitat dels PPCC.

CATALUNYA

4. — Un estranger que tingués la primera notícia de Catalunya a través d'un fullet d'informació turística, segurament es trobaria amb una informació semblant a aquesta.

QUÈ ÉS CATALUNYA?

Catalunya és situada al nord-est d'Espanya, ocupa una superfície de 32.000 km², de forma triangular: té una població de més de 6.000.000 d'habitants. Genera aproximadament el 20% del Producte Interior Brut d'Espanya. Limita al Nord amb els Pirineus —des del Cap de Creus fins a la Vall d'Aran—, a l'Est amb la Mar Mediterrània, a l'Oest amb l'Aragó i al Sud amb el País Valencià.

La història, una llengua —el català— i una cultura pròpies han anat configurant la personalitat de Catalunya i de la seva gent.

Terra de civilitzacions mediterrànies, Catalunya com a país comença a prendre forma a l'Edat Mitjana quan els Comtes de Barcelona afermen la seva independència, es promulguen les primeres lleis civils, comercials i marítimes, i les Corts Catalanes, de les primeres d'Europa, desenvolupen llur funcionament.

Actualment Catalunya és una comunitat autònoma dins d'Espanya, amb una institució pròpia de govern que és la Generalitat. L'autogovern de Catalunya és el fruit de la llarga tradició d'un poble de profundes arrels democràtiques.

La Generalitat representa més de 600 anys de la història de Catalunya, ja que en podem trobar els orígens precisament a l'època medieval com a institució d'aquelles Corts Catalanes.

L'actual Generalitat és integrada per:
— El Parlament.
— El President de la Generalitat.
— El Consell Executiu o Govern.

Catalunya ha tingut sempre un gran dinamisme cultural i científic, i les aportacions en aquests camps han traspassat sovint el seu territori. Així ho palesen figures mundials com: Pau Casals, Antoni Gaudí, Joan Miró, Salvador Dalí, Antoni Tàpies, Josep Trueta, Joaquim Barraquer, Salvador Espriu o Montserrat Caballé, per citar-ne només uns quants.

L'idioma de Catalunya és el català, i aquest i el castellà són els dos idiomes que s'hi utilitzen.

La bandera de Catalunya consta de quatre barres vermelles sobre un fons groc.

Catalunya en xifres

Superfície .... 31.930 km²
Població .... 5.958.283 habitants
Densitat de població per km² 186,6

Principals ciutats (habitants 1981):
Barcelona i Àrea Metropolitana 3.100.000
Sabadell 186.123
Terrassa 155.614
Tarragona 109.112
Lleida 106.814
Mataró 97.008
Girona 86.624

Comunicacions:
Autopistes .... 536 kms.
Carreteres nacionals .... 5.954 kms.
Carreteres secundàries .... 4.463 kms.
Ferrocarrils .... 1.341 kms.
Aeroports i Aeroclubs 6
Telèfons (per 1.000 habitants) 404
Vehicles (per 1.000 habitants) 336

Allotjaments:
Hotels i pensions .... 4.739 - capac. 197.215
Càmpings 271-capacitat 152.572
Apartaments 118.402-capac. 542.000
Paradors turisme 7-capacitat 964
Balnearis 13-capacitat 1.742

Visitants estrangers (1981) .... 11,4 milions
Ports esportius ....3'...... 26
Estacions d'esquí.................................... 12
Camps de Golf 8
Casinos de joc 3

Però per entendre millor què és actualment Catalunya és útil conèixer una mica què ha estat. A continuació trobaràs un brevíssim i esquemàtic resum històric de les institucions que durant deu segles han representat l'organització pública del país.

LES INSTITUCIONS CATALANES A TRAVÉS DE LA HISTÒRIA

Les institucions neixen com a conseqüència de la necessitat social d'organitzar-se. La tribu o la família són institucions naturals que, sense que calgui formular-lo explícitament, comporten un codi de relacions humanes. El parlament o el govern d'un país són també institucions que apareixen com a resultat d'una voluntat col·lectiva d'organitzar-se en sectors socials més amplis. Aquest darrer tipus d'institucions es fonamenta en unes normes explícites d'actuació que són les que les distingeixen i les que personalitzen un poble i una nació. Però les institucions, com a producte d'una societat determinada que són, evolucionen, com la societat mateixa, al ritme de la història.

Catalunya, nació sobirana durant molts segles, ha tingut les seves pròpies institucions nacionals. La història d'aquestes institucions és el reflex de la història d'un poble que ha conegut èpoques glorioses i temps difícils en els quals ha vist perillar la seva identitat nacional.

I. L'EDAT MITJANA

1. El naixement de la Catalunya comtal

Als inicis de la seva personalitat històrica, la major part del territori de la Catalunya actual estava sota el domini dels francs, que havien reconquerit aquestes terres als musulmans. Els països reconquerits per l'imperi carolingi (entre els segles VIII i IX) es converteixen en comtats. Neixen així els comtats de Barcelona, Girona, Osona, Empúries, Rosselló, Urgell i Cerdanya.

Aviat, però, va manifestar-se la voluntat d'aquestes ciutats d'unir-se i d'independitzar-se de la tutela carolíngia.

Guifré el Pilós († 897) va aplegar sota el seu govern els comtats de Barcelona, Urgell, Cerdanya, Besalú i Girona i va repoblar el centre de Catalunya. Amb això s'iniciava la consolidació interior de Catalunya i el predomini del comtat de Barcelona damunt dels altres.

L'any 985 les tropes sarraïnes d'Almansor van envair Barcelona. El comte Borrell va haver de reconquerir de nou el seu territori sense l'ajut del rei francès. A partir d'aquest moment, ni Borrell ni cap dels seus successors no van fer cap acte que signifiqués vassallatge envers la dinastia franca. Això va suposar el primer i decisiu pas cap a la independència de Catalunya com a poble sobirà.

El comte de Barcelona es convertia en el senyor més alt dins la piràmide jeràrquica de la societat feudal catalana, amb el títol de Príncep i Potestat. Més endavant, amb la unió de Catalunya i Aragó (1137) i la conquesta de les Illes Balears (1229-1235) i de València (1233-1245), el comte de Barcelona esdevenia sobirà del que s'anomenaria Regne d'Aragó.

2. L'organització política i social

L'organització política i social d'aquesta època s'anomena feudalisme. El règim feudal suposava l'organització jeràrquica de la societat. Com en una piràmide, el rei (a Catalunya, el comte de Barcelona) ocupava el vèrtex superior i era senyor de terres i homes. Dessota seu, els nobles i els senyors, ja fos per concessió reial, ja fos per usurpació, posseïen també propietats i serfs.

La societat feudal estava integrada per tres classes de persones: els nobles, els lliures no nobles (vilans i ciutadans) i els serfs. Els primers, privilegiats, estaven exempts d'impostos i solament podien ser jutjats pels seus senyors, en tribunals especials, i, en última instància, pel rei. Els ciutadans —el residents a les ciutats— havien de tributar impostos als seus senyors feudals, però, per la resta, es consideraven homes lliures. Finalment, els serfs eren considerats com a propietat d'un senyor feudal i eren comprats i venuts conjuntament amb les terres que posseïa el senyor i que ells havien de conrear; amb el temps i després de diversos moviments d'alliberament, serien l'origen de la pagesia.

En el teixit social de l'edat mitjana ocupava també un lloc destacat l'estament eclesiàstic, el qual desenvolupà un paper de gran importància i influència en els terrenys polític i cultural.

3. Les Institucions a Catalunya

a) *El Sobirà*

El príncep és acceptat pels catalans perquè es compromet, mitjançant jurament, a observar llurs constitucions i privilegis. La seva sobirania es funda, doncs, en un pacte. A diferència d'altres monarquies, aquest compromís o pacte entre sobirà i poble donarà com a fruit un sistema de govern més obert i participatiu, sempre, és clar, dins de les limitacions pròpies de l'esperit feudal.

El monarca català pren el títol de rei als regnes d'Aragó, València i Mallorca, però conserva el de comte de Barcelona a Catalunya.

El rei té potestat legislativa, juntament amb les Corts, i exerceix el poder executiu. Té la potestat, a més, de decidir la guerra o la pau.

El rei té la seva Cort, el seu Consell, la seva Casa i els seus oficials. L'ordenament complet de les funcions del monarca català, el va formular Pere III el Cerimoniós (1336-1387). La monarquia és hereditària. El príncep hereu ostenta el càrrec de Governador General del Regne i, des dels temps de Pere el Cerimoniós, el títol de duc de Girona.

La corona percebia nombroses rendes: les tributacions regulars dels municipis, les de les comunitats jueves i sarraïnes, les recaptacions de duanes, els monopolis, els rèdits procedents de l'exercici de certes professions, els donatius aprovats per les Corts, etc.

b) *Les Corts*

Concebudes com un òrgan consultiu i administratiu del rei, les Corts Catalanes es van anar convertint en un organisme representatiu i legislatiu. A la corona catalano-aragonesa el seu paper va prendre gran importància a partir de regnats de Jaume I i Pere II el Gran (s. XIII). A diferència d'altres regnes, al de Catalunya-Aragó les Corts van tenir un pes decisiu en l'organització política de l'Edat Mitjana.

Les Corts es componien de tres *braços* o estaments: el braç eclesiàstic o de la clerercia, el braç militar o de la noblesa i el braç reial o de les viles. En aquest tercer braç, s'hi integraven els representants dels municipis, que eren designats per elecció.

En la funció del seu poder legislatiu, les Corts aprovaven les lleis, ja fos a proposta del rei (en aquest cas les lleis aprovades s'anomenaven *constitucions*), ja fos a proposta d'un dels tres braços (en aquest cas, s'anomenaven *capítols de corts*).

A part de la seva missió legislativa, les Corts també tenien encomanada la missió d'aprovar subsidis o impostos extraordinaris.

Dins la corona catalano-aragonesa, hi havia les Corts d'Aragó, les Corts de Catalunya i les Corts de València, cadascuna de les quals funcionava separadament de les altres. Periòdicament, però, es reunien totes tres i celebraven sessions conjuntes: en aquestes ocasions s'anomenaven *Corts generals de la Corona d'Aragó*.

c) *La Diputació General o Generalitat de Catalunya*

Aquesta institució, que és el precedent històric de l'actual Generalitat, encara que l'única cosa que tenen en comú és el nom, va prendre forma sota el regnat de Pere el Cerimoniós (1336-1387), com a organisme permanent de recaptació. Cal buscar-ne l'origen en la necessitat d'instaurar una comissió reduïda de representants dels tres braços, que estalviés la convocatòria de Corts cada vegada que s'hagués d'aprovar un impost especial, sobretot durant una època en què les confrontacions bèl·liques obligaven a recaptacions freqüents. El seu mandat era de tres anys.

Les seves funcions es van anar ampliant i va augmentar la seva importància dins l'organització política, encara que la seva influència va oscil·lar amb les vicissituds històriques. Aquestes funcions eren financeres (cobrar contribucions), polítiques (vetllar pel compliment de les *constitucions*), militars (proveir a la defensa de les costes i a la defensa del país) i judicials (sentenciar en casos de disputa entre el poble i les autoritats i perseguir els criminals).

Els esdeveniments històrics van fer que aquesta institució hagués d'assumir, en algunes ocasions, la direcció del país. Això va succeir, d'una manera clara, en dos moments especialment crítics de la història de Catalunya: durant la Guerra dels Segadors (1640-1652) i durant la Guerra de Successió (1701-1714), en les quals, com a principal organisme representatiu del poble català es va enfrontar a Felip IV i a Felip V, respectivament.

d) *L'administració territorial*

Durant l'Edat Mitjana, i a mesura que es va anar imposant el poder reial, el territori català es va anar dividint en vegueries, que eren demarcacions amb jurisdicció governativa, judicial i política. Els límits de les vegueries van anar variant amb el temps, però aquest tipus d'organització territorial es va mantenir fins als inicis del segle XVIII.

e) *Els municipis*

A partir de mitjans del segle XIII floreix amb esplendor la vida municipal. Ja hem dit que els representants dels municipis formaven part d'un dels braços que componien les Corts Catalanes. El poder municipal estava representat per dos consells: El Gran Consell i el Petit Consell. Els membres del segon eren elegits pels consellers del Gran Consell, el nombre dels quals oscil·lava segons els municipis.

El Consell municipal que va tenir un pes més important va ser el de Barcelona (Consell de Cent). El seu poder s'estenia fora dels límits de la ciutat, fins al punt d'arribar a constituir una veritable república municipal.

L'interès de les classes populars per tenir una més àmplia representació en els Consells municipals —sobretot en el de Barcelona— va ser l'origen de forts enfrontaments entre aquestes classes i l'oligarquia aristocràtica. En alguns moments, aquesta representativitat de les classes populars fou efectiva i d'aquesta manera els consells municipals van constituir a Catalunya una forma de poder autònom de gran vitalitat.

Una idea de la importància dels consells municipals dins l'activitat política del país, ens la dóna el paper jugat pel Consell de Cent durant el setge de Barcelona de 1714. Aquesta institució, juntament amb la Generalitat, va representar l'autèntica ànima de la resistència contra les tropes borbòniques.

II. LA PÈRDUA DE LES LLIBERTATS I LES INSTITUCIONS

Encara que des del regnat de Ferran II el Catòlic l'estructura política i social de Catalunya havia perdut bona part de la vitalitat que l'havia caracteritzada durant els tres segles precedents, el país conservava les seves pròpies institucions i una gran capacitat d'autogovern i d'autoadministració, que el diferenciava de Castella, malgrat la puixança històrica que vivia el regne castellà.

Amb la mort de Carles II, l'últim representant de la casa d'Àustria en la monarquia espanyola, s'obria el gran problema de la successió. Carles II havia designat com a successor Felip d'Anjou, nét del rei de França, però Carles d'Àustria va reclamar els seus drets dinàstics i va prendre les armes per fer-se amb la corona, amb el suport d'Anglaterra i Holanda. França i Espanya s'aliaren per defensar Felip d'Anjou. Catalunya, les Balears, Aragó i València, és a dir, tot l'antic regne d'Aragó, es van posar del bàndol de Carles d'Àustria.

Durant aquesta guerra de començaments del segle XVIII, que s'ha anomenat Guerra de Successió, va morir l'emperador d'Àustria i Carles va accedir a la corona imperial. Per evitar la unió d'Espanya i Àustria, els aliats anglesos i holandesos van abandonar Carles i van signar la pau amb França a Utrecht (1713). Amb aquest tractat, que atorgava a França el domini sobre el Rosselló i a Anglaterra el domini sobre Menorca i el penyal de Gibraltar, els catalans quedaren sols en la lluita contra les tropes borbòniques.

L'11 de setembre de 1714, després d'un perllongat setge i d'una heroica resistència, Barcelona queia en mans dels filipistes. L'any següent es rendia Mallorca, defensada pel virrei català, marquès de Rubí. València i Aragó ja havien caigut set anys abans.

La primera conseqüència, i la més important, de la derrota dels catalans fou la pèrdua de les seves llibertats com a poble, l'abolició de les seves institucions i la prohibició del català com a llengua d'ús oficial.

El Decret de Nova Planta per al Principat de Catalunya signat per Felip V entre 1707 i 1716 suposava un canvi radical en l'ordenació política i social de Catalunya. Els principals efectes d'aquest decret van ser els següents:

— Es suprimia la Generalitat de Catalunya.
— El virrei, que fins aleshores havia ostentat, la representació de la corona a Catalunya, era substituït per un Capità General, al qual assistia una Reial Audiència, totalment sotmesa al poder de Castella.
— Els governs municipals, basats en el sistema de representació en els consells, eren substituïts pels «ajuntaments», basats en el sistema de designació de regidors i presidits per un corregidor, gairebé sempre militar.

— Els territoris catalans van ser dividits en "províncies", sota l'autoritat d'un intendent.

— L'administració de la justícia passava a dependre de la Reial Audiència, que es basava en el sistema legislatiu castellà.

— Les universitats van ser suprimides i es va crear la de Cervera —població que s'havia mantingut fidel a la causa borbònica— per substituir-les.

— Es va prohibir l'ús del català en els assumptes oficials i es recomanava la gradual desaparició de la nostra llengua en l'ensenyament.

— Es va construir la Ciutadella, fortalesa ubicada enmig de la ciutat de Barcelona, com a amenaça enfront de possibles sublevacions.

En conjunt, amb aquests decrets es pretenia l'abolició de l'organització política dels països que integraven la corona catalano-aragonesa i la uniformització amb l'organització política pròpia de Castella.

III. LA RECUPERACIÓ DE LES INSTITUCIONS

La derrota de 1714 marca la fi d'un llarg període de sobirania i d'autogovern, però, al mateix temps, l'inici d'un camí, també llarg i en molts moments incert, cap a la recuperació de l'autonomia perduda.

Després de les diverses convulsions històriques que van caracteritzar el segle XIX, entre les quals les més significatives són l'etapa d'administració francesa (1812-1814), en què, sota l'imperi de Napoleó, Catalunya fou annexada a França, l'alternança de períodes d'administració constitucional amb d'altres d'administració absolutista, les constants guerres carlines, la Revolució de 1868, el curt període republicà (1873-1874) i la restauració de la monarquia (1874), Catalunya entrà al segle XX amb un desig creixent de recuperar les llibertats perdudes dos segles abans.

Durant el segle XIX es produeix un gran canvi social a Catalunya com a conseqüència del desenvolupament industrial iniciat al segle anterior. Apareix una burgesia activa impregnada d'un sentiment nacionalista cada vegada més definit. Al mateix temps, els grans canvis socials i econòmics produïts per la revolució industrial fan que les classes obreres prenguin consciència de la necessitat d'una transformació de les relacions sòcio-econòmiques i neixen i prenen impuls els moviments obrers arreu de Catalunya, alguns d'ells també amb un marcat caràcter catalanista.

Els sectors catalanistes, des dels més conservadors fins als de caràcter republicà i federalista, convergeixen a principis del segle XX (1906-1907) en un únic moviment: la Solidaritat Catalana. Aviat, però, les diferències polítiques van fragmentar aquesta unió i van aparèixer grups d'inspiració catalanista de caràcter clarament conservador (Lliga Regionalista), d'altres de més liberals (Acció Catalana) i, finalment, d'altres de marcadament esquerrans (Esquerra Republicana).

L'efervescència catalanista de principis de segle va donar es seus fruits concrets. L'any 1914 es constituïa la Mancomunitat de Diputacions Catalanes, que, sota la presidència d'Enric Prat de la Riba, va iniciar una obra profunda i profitosa, sobretot en el terreny de la recuperació cultural.

La Mancomunitat fou suprimida el 1923 amb la Dictadura de Primo de Rivera. Durant els anys de la Dictadura, però, el sentiment nacionalista, unit amb el republicanisme de caire cada vegada més esquerrà, no va decréixer, sinó ben al contrari: en caure la Dictadura i la Monarquia, després de les eleccions municipals de 1931, Francesc Macià, com a màxim dirigent d'Esquerra Republicana, partit guanyador a Catalunya en aquestes eleccions, va proclamar la República Catalana dins la Federació de Repúbliques Ibèriques el 14 d'abril de 1931.

Tanmateix, la República Catalana va tenir una vida ben efímera. Pressionat pel govern provisional de la República Espanyola, i després d'unes tenses i intenses negociacions, la República Catalana quedava reduïda a Generalitat de Catalunya. La sobirania es transformava en autonomia. I encara aquesta autonomia es diluïa una mica més en l'Estatut de 1932, aprovat per les Corts Espanyoles, i sensiblement inferior, quant a possibilitats d'autogovern, respecte al projecte d'Estatut que s'havia elaborat des de Catalunya (Estatut de Núria).

Tot i així, el període autonòmic durà ben poc (1931-1939) i encara amb un parèntesi de dos anys (1934-1936), en què, a causa d'un enfrontament armat entre el Govern de dretes que havia accedit al poder estatal arran de les eleccions generals i la Generalitat, aquesta fou abolida i el seu president, Lluís Companys, i els seus consellers, empresonats.

Amb les eleccions de 1936, l'Esquerra recupera el poder i es restableix el govern de la Generalitat. Però aquest mateix any esclata la sublevació militar i la guerra consegüent. Catalunya es manté ferma en la defensa de la legalitat republicana i de les seves pròpies institucions.

Amb la derrota de 1939, però, novament són abolides les institucions, les llibertats i tots els signes d'identitat nacional. S'inicia un dels períodes més foscos de la història recent del país. Un període que es tancava el 23 d'octubre de 1977 quan el president de la Generalitat en l'exili, Josep Tarradellas, tornava a Catalunya com a representant legítim de la institució que des de tants segles ha representat la voluntat del poble català d'autogovernar-se. *

IV. L'ESTATUT D'AUTONOMIA

A partir de la reinstauració provisional de la Generalitat, les aspiracions seculars d'autonomia se centren en la recuperació d'un estat que reguli la convivència interna de Catalunya i les seves relacions amb la resta de pobles de l'Estat Espanyol.

Amb aquest propòsit es constitueix una comissió de vint parlamentaris catalans, que inicien, l'any 1977, els treballs preparatoris per a la redacció d'un projecte d'Estatut. Aquest projecte —conegut com Estatut de Sau pel lloc on va ser redactat— és sotmès a les Corts Espanyoles, les quals després d'efectuar-hi diverses esmenes, en van aprovar el text definitiu.

El 18 de desembre d'aquell mateix any es promulgà, com a llei orgànica de l'Estat, l'actual Estatut de Catalunya. Per entendre millor què és i què representa aquest Estatut, en reproduïm a continuació alguns dels articles més importants.

---

* Bona part d'aquesta informació ha estat extreta de Ferran SOLDEVILA, *Resum d'història dels Països Catalans*. Editorial Barcino, Barcelona 1974.

Títol Preliminar
Disposicions Generals

Article 1

1. Catalunya, com a nacionalitat i per accedir al seu autogovern, es constitueix en Comunitat Autònoma d'acord amb la Constitució[1] i amb el present Estatut, que és la seva norma institucional bàsica.

2. La Generalitat és la institució en què s'organitza políticament l'autogovern de Catalunya.

3. Els poders de la Generalitat emanen de la Constitució, del present Estatut i del poble.

Article 8

1. Els ciutadans de Catalunya són titulars dels drets i deures fonamentals establerts a la Constitució[5].

2. Correspon a la Generalitat, com a poder públic i en l'àmbit de la seva competència, promoure les condicions per tal que la llibertat i la igualtat de l'individu i dels grups en què aquest s'integra siguin reals i efectives, remoure els obstacles que impedeixin o dificultin llur plenitud i facilitar la participació de tots els ciutadans en la vida política, econòmica, cultural i social.

Títol Segon
De la Generalitat

Article 29

1. La Generalitat està integrada pel Parlament, el President de la Generalitat i el Consell Executiu o Govern.

2. Les lleis de Catalunya ordenaran el funcionament d'aquestes institucions d'acord amb la Constitució i el present Estatut.

Capítol I
El Parlament

Article 30

1. El Parlament representa el poble de Catalunya i exerceix la potestat legislativa, aprova els pressupostos, impulsa i controla l'acció política i de govern i exerceix les altres competències que li siguin atribuïdes per la Constitució i, d'acord amb ella i l'Estatut, per la llei que aprovi el propi Parlament.

2. El Parlament és inviolable.

3. El Parlament té la seu a la ciutat de Barcelona, però podrà celebrar reunions en altres indrets de Catalunya en la forma i supòsits que la llei determinarà.

Article 31

1. El Parlament serà elegit per un termini de quatre anys, per sufragi universal, lliure, igual, directe i secret, d'acord amb la llei electoral que el mateix Parlament aprovarà. El sistema electoral serà de representació proporcional i assegurarà a més l'adequada representació de totes les zones del territori de Catalunya.

Article 3

1. La llengua pròpia de Catalunya és el català.

2. L'idioma català és l'oficial de Catalunya, així com també ho és el castellà, oficial a tot l'Estat Espanyol[2].

3. La Generalitat garantirà l'ús normal i oficial d'ambdós idiomes, prendrà les mesures necessàries per tal d'assegurar llur coneixement i crearà les condicions que permetin d'arribar a llur igualtat plena quant als drets i deures dels ciutadans de Catalunya.

4. La parla aranesa serà objecte d'ensenyament i d'especial respecte i protecció.

Capítol II
El President

Article 36

1. El President serà elegit pel Parlament entre els seus membres i nomenat pel Rei.

2. El President de la Generalitat dirigeix i coordina l'acció del Consell Executiu o Govern i ostenta la més alta representació de la Generalitat i l'ordinària de l'Estat a Catalunya.

3. El President podrà delegar temporalment funcions executives en un dels Consellers.

4. El President serà, en tot cas, políticament responsable davant del Parlament.

5. Una llei de Catalunya determinarà la forma d'elecció del President, el seu estatut personal i les seves atribucions.

Capítol III
El Consell Executiu o Govern

Article 37

1. El Consell, òrgan col·legiat de govern amb funcions executives i administratives, serà regulat per llei de Catalunya la qual en determinarà la composició, l'estatut, la forma de nomenament i la cessació dels membres i llurs atribucions.

2. El Consell respon políticament davant del Parlament de forma solidària, sens perjudici de la responsabilitat directa de cada Conseller per la seva gestió.

3. La seu del Consell serà la ciutat de Barcelona, i els seus organismes, serveis i dependències podran establir-se en diferents indrets de Catalunya d'acord amb criteris de descentralització, desconcentració i coordinació de funcions.

4. Totes les normes, disposicions i actes emanats del Consell Executiu o Govern i de l'Administració de la Generalitat que ho requeriran seran publicats en el *Diari Oficial de la Generalitat*. Aquesta publicació serà suficient, a tots els efectes, per a la validesa dels actes i l'entrada en vigor de les disposicions i normes de la Generalitat. En relació amb la publicació al *Boletín Oficial del Estado*, caldrà atenir-se a allò que disposi la corresponent norma de l'Estat.

LÈXIC, EXPRESSIONS I FRASES FETES

Verbs
afavorir *favorecer*
col·laborar *colaborar*
combatre *combatir*
discriminar *discriminar*
donar suport *apoyar, secundar*
exigir *exigir*
lluitar *luchar*
manar *mandar*
qualificar *calificar*
queixar-se *quejarse*
sortir-se('n) *salir adelante*
superar *superar*
votar *votar*

Adjectius
conservador/-a *conservador*
drogaaddicte/-a *drogadicto*
eficaç *eficaz*
homosexual *homosexual*
integrador/-a *integrador*
marginat/-ada *marginado*
nacionalista *nacionalista*
oprimit/-ida *oprimido*
preventiu/-iva *preventivo*
privat/-ada *privado*
progressista *progresista*
públic/-a *público*
reaccionari/-ària *reaccionario*
repressiu/-iva *represivo*
social *social*
voluntari/-ària *voluntario*

Substantius
anarquisme *m anarquismo*
campanya electoral *f campaña electoral*
capitalisme *m capitalismo*
classe obrera *f classe obrera*
comunisme *m comunismo*
costum *m costumbre*
crisi *f crisis*
delinqüent *m delincuente*
delinqüència *f delincuencia*
discriminació *f discriminación*
eslògan *m eslogan*
homosexualitat *f homosexualidad*
inflació *f inflación*
lluita *f lucha*
mesura *f medida, disposición*
marginació *f marginación*
oposició *f oposición*
pallissa *f paliza*
partit polític *m partido político*
poder *m poder*
política *f política*
presó *f prisión*
queixa *f queja*
reforma *f reforma*
sanitat *f sanidad*
seguretat ciutadana *f seguridad ciudadana*
socialisme *m socialismo*
societat *f sociedad*
subsidi d'atur *m subsidio de paro*
vot *m voto*

EXERCICIS ESCRITS

A) **Aquí tens nou fragments desordenats de la carta que va escriure una persona al director d'un diari durant una campanya electoral. Ordena'ls de manera que en resulti la carta original completa.**

EL PERILL DE LES ELECCIONS

1) i, segons tinc entès, aquest no va ser l'únic que va caure.

2) En fi, potser caldrà que en caigui un a l'esquena d'algun candidat perquè es prohibeixi aquesta pràctica.

3) En ocasió de la campanya electoral del mes d'octubre de l'any passat, vaig veure com queia un fanal al carrer d'Urgell,

4) però el fet em va alarmar per les conseqüències que podia haver tingut.

5) ja que no cal ser gaire llest per comprendre el perill que això comporta (sense comptar les despeses de tornar a col·locar el fanal).

6) Em fa l'efecte que, sortosament, no va produir danys a ningú,

7) un dia de vent, per culpa d'una pancarta que hi havien lligat,

8) Doncs bé, en la campanya present torno a veure les pancartes lligades als fanals, sense que les autoritats semblin adonar-se del gran perill que això suposa.

9) Al meu entendre, en vista dels resultats, l'Ajuntament hauria hagut de prohibir que es pengessin pancartes entre dos fanals,

F. Nubiola (Barcelona)
"Avui", dissabte 28 d'abril del 1984
(Adaptació)

1. — DIÀLEG

Transcripció

SRA. MERCÈ:	Ai, ai, ai! Sí, fills meus, m'han robat! M'han estirat dels dits la bossa amb vint mil pessetes, just quan sortia del banc! Les pessetes, els carnets, les claus...! He anat corrents a dir-ho a un guàrdia urbà.
MIQUEL:	A un urbà?
SRA. MERCÈ:	I m'ha contestat que les bosses s'han d'agafar fort.
ALFONSO:	Tenia raó.
SRA. MERCÈ:	Abans anàvem pel carrer amb bitllets a la vista i no passava res! Abans vivíem en una societat civilitzada! Abans...!
TONI:	Abans era jove, ja ho sabem.
SRA. MERCÈ:	He presentat una denúncia, però no m'estranyaria gens que l'haguessin llençada a la paperera.
ALFONSO:	És el que hauria fet jo.
SRA. MERCÈ:	Ja ho veuen, abandonada de tothom! Només vostès poden ajudar-me!
TONI:	Què anava a dir, jo ara? Em penso que me n'he d'anar.
SRA. MERCÈ:	No! Vull presentar una queixa a les autoritats! Fills meus, no tindran cor si no m'ajuden a redactar-la!
MIQUEL:	Una queixa? Què hi dieu, vosaltres?
ALFONSO:	Home, podria ser divertit.
SRA. MERCÈ:	Exigeixo que els carrers quedin nets de gentota indesitjable; exigeixo que es prenguin mesures de seguretat ciutadana; exigeixo...!
TONI:	I a qui ho exigeix?
SRA. MERCÈ:	No ho sé. És un problema. Què hi diuen, vostès? On l'he d'enviar, la queixa? A l'Ajuntament, a la Generalitat o al Govern de Madrid?
MIQUEL:	Al meu entendre, al meu modest entendre, és millor no enviar cap queixa.
ALFONSO:	Com que no? La senyora Mercè ha tingut molt bona idea.
SRA. MERCÈ:	Sí! I com anava dient, exigiré una mica més d'ordre! Una mica més d'ordre no faria mal a ningú! Tanta democràcia, tanta democràcia! Mà dura contra els delinqüents i els ganduls! Tots a la presó, i que s'hi quedin! Una bona pallissa i règim de pa i aigua!
MIQUEL:	Bé, un moment, potser exagera. Tingui en compte que hi ha molt d'atur, molta gent que voldria treballar i no pot, joves que roben perquè a vegades no els queda cap més sortida.
SRA. MERCÈ:	Mà dura! A fer carreteres!
MIQUEL:	Sra. Mercè, jo ja sabia que vostè era una mica conservadora, però no em pensava que fos tan reaccionària...
SRA. MERCÈ:	És clar que sóc conservadora! M'agrada conservar les coses que estimo. A vostè, no? Sóc una dona que aprecia l'ordre, les tradicions i la tranquil·litat! Una dona decent! En resum, si això és ser conservador, me n'alegro! Si això és ser de dretes, doncs sóc de dretes! Això, per què ho deia? És que em fan parlar, em fan parlar, i el que vull és anar per feina. Aquí tinc paper i bolígraf. A qui envio la carta? Oi que al Govern central serà més directe? Al Ministeri de Seguretat Ciutadana.
MIQUEL:	Segons tinc entès, no hi ha cap Ministeri de Seguretat Ciutadana.
SRA. MERCÈ:	Que no n'hi ha? Quin escàndol! Ho veuen? S'ha de lluitar perquè n'hi hagi! Vull que em garanteixin que coses així no tornaran a passar! Jo voto, jo pago els meus impostos! Han d'admetre la meva reclamació, han d'acceptar la necessitat d'un Ministeri de Seguretat Ciutadana!
MIQUEL:	Sra. Mercè, vostè desbarra, i jo no tinc ganes de jugar. Me'n vaig.

Solució

SRA. MERCÈ: *Creu que la falta d'ordre i la democràcia contribueixen a un augment de la delinqüència i que el que cal és mà dura. Segons ella, els delinqüents, que equipara als ganduls, han d'anar a la presó o a fer carreteres.*

MIQUEL; *Creu que la Sra. Mercè exagera. Pensa que un factor important que fa que hi hagi delinqüència és la falta de feina, el fet que hi hagi molts joves que encara que vulguin treballar no troben feina.*

2. — **Solució possible**

	DRETES	ESQUERRES
ECONOMIA I HISENDA	Reducció d'impostos/Reducció de prestacions socials/*Reducció de la inversió pública/ Lluita contra la inflació.*	Increment d'impostos/Augment de prestacions socials/*Augment de la inversió pública/ Lluita contra l'atur.*
EDUCACIÓ	*Afavoriment de l'escola privada.*	*Afavoriment de l'escola pública.*
SEGURETAT CIUTADANA	*Mesures repressives.*	*Mesures preventives.*
CONTROL DE NATALITAT	*Penalització de l'avortament/En contra de la planificació familiar (mètodes anticonceptius).*	*Despenalització de l'avortament/A favor de la planificació familiar (mètodes anticonceptius).*
TREBALL	*Afavoriment de l'empresa privada/en contra de la reducció de la jornada laboral.*	*Afavoriment de l'empresa pública/a favor de la reducció de la jornada laboral.*
SANITAT	*Afavoriment de la medicina privada.*	*Afavoriment de la medicina pública.*
POLÍTICA EXTERIOR	*A favor de la vinculació a l'OTAN.*	*En contra de la vinculació a l'OTAN.*
MARGINACIÓ SOCIAL	*Repressió dels sectors marginals: homosexuals, delinqüents juvenils, drogaaddictes, etc.*	*Integració dels sectors marginals: homosexuals, delinqüents juvenils, drogaaddictes, etc.*

3. — EXERCICI DE COMPRENSIÓ

Transcripció

1) SENYORA: El problema d'aquest país és la delinqüència i el terrorisme. S'han perdut els bons costums i la moralitat. El que convé és mà dura i recuperar els principis bàsics com la família i la unitat de la pàtria espanyola.

2) SENYOR: És que amb aquest Estatut no anem enlloc. S'ha de canviar perquè, si no, a la llarga, l'existència de Catalunya com a nació corre un greu perill de desaparèixer.

3) SENYOR: Sí, sí..., la situació és una mica delicada, però em sembla que ens en sortirem, perquè Catalunya és un país amb ganes de tirar endavant..., que té il·lusió per progressar. A més a més, som un país treballador que, amb seny i amb ganes de treballar, jo estic segur que la crisi aquesta, la superarem.

4) NOIA: Jo crec que falta una autèntica alternativa d'esquerres. Una esquerra unitària que recuperi la tradició de lluita que sempre hem tingut i que sigui un partit d'integració de tots els homes i les dones que viuen i treballen a Catalunya. I penso que el primer que hauria de fer qualsevol govern en aquests moments és presentar una decidida batalla contra l'atur.

5) NOI: El que és important en aquest país és introduir el concepte ètic de comportament. Cal una reforma profunda en el camp industrial. Sobretot, s'ha de seguir una política de màxima austeritat i dur a terme un sanejament a fons de l'administració. Home..., nacionalitzacions, nacionalitzacions... El que cal és que tothom col·labori. Necessitem la col·laboració de tots.

6) NOIA: Jo, de partits..., de partits, de veritat que en passo, eh! Els partits, l'única cosa que volen és que votem i callem. L'únic camí possible és l'acció directa i l'autogestió.

7) TREBALLADOR: Aquí, fins que no hi hagi realment una lluita de classes..., que la classe obrera no triomfi i acabem ja d'una vegada amb el capitalisme, la cosa no... S'ha de lluitar contra el capitalisme i crear un nou model de societat en què la classe oprimida tingui el poder.

8) NOIA: L'objectiu bàsic ha de ser fer una política de caire nacionalista, i entenem per nacionalista tot allò que faci referència als Països Catalans, però d'esquerres. No una política conservadora que només defensi els interessos d'una classe determinada i que vulgui monopolitzar els sentiments nacionalistes, sinó una política integradora, progressista, nacionalista i, com ja he dit abans, bàsicament d'esquerres.

NOTA: Quant al partit amb el qual estaria més d'acord cada personatge, la interpretació és totalment subjectiva i, per tant, no podem donar cap solució.

SOLUCIÓ DELS EXERCICIS ESCRITS

A) **Solució**

3, 7, 1, 6, 4, 9, 5, 8, 2.

SOBRE EL TEU PAÍS
Països Catalans

Objectius comunicatius

L'objectiu d'aquesta unitat didàctica és aprendre a:

— Distingir característiques dialectals del català.
— Demanar i donar informació sobre els Països Catalans.

Com ja havíem dit a la unitat 48, en parlar del dialecte baleàric, el català presenta diverses varietats segons els llocs on es parla. En aquesta unitat veurem algunes de les característiques que distingeixen el català que es parla al País Valencià. Per tenir-ne una primera idea, escolta els diàlegs que hi ha enregistrats a la cassette.

EL CATALÀ DE VALÈNCIA

1 **DIÀLEG**

La Neus i l'Alfonso finalment s'han casat. De viatge de nuvis, han volgut visitar els Països Catalans. Però el viatge ha estat una mica accidental. Els seus amics de Barcelona en tenen notícies a través d'en Vicent, un xicot que la Neus i l'Alfonso han conegut a València.

Escolta el diàleg.
Fixa't en la pronunciació de les frases que diu en Vicent.

— Sóc Vicent. Vaig conèixer Neus i Alfonso.
— No patxica, senyora.
— Són a la meua terra, a València, i jo he vingut a tornar-los el taxi.
— No li ho dic? De València.
— Alfonso, el coneguí ara durant el seu viatge de nuvis, quan passaren per València.
— Açò jo no ho sé. Però no patixquen.
— Els ho explique de seguida i voran com no cal alarmar-se.
— Segons pareix, el seu amic volia travessar els Països Catalans, des del Rosselló fins a Alacant.

Observa que Vicent no pronuncia les **e** i les **o** àtones com en el català central, on es pronuncien [ə] i [u], respectivament, sinó que les pronuncia [e] i [o] tancades, respectivament. També deus haver notat que pronuncia els sons finals **-r** i **-t**, que en català central, s'emmudeixen (conèixe**r**, Alacan**t**).

Altres trets característics del dialecte valencià són els següents:

- No s'usa l'article personal: *Ha vingut Joan*
- Els adjectius i els pronoms demostratius mantenen tres formes (com en castellà): **est(e)**, **eix(e)**, **aquell**. I, paral·lelament: **açò, això, allò; ací, aquí (ahí), allí (allà)**.
- Els possessius femenins prenen les formes **meua, teua, seua**.
- **Dos** és forma única, tant per al masculí com per al femení: **dos** *dies*; **dos** *setmanes*.
- Plurals en síl·laba àtona acabats en **-ns**: *jóvens, hòmens*.
- Desinència de la primera persona del singular de l'indicatiu present en **-e** *cante, parle*.
- La forma **-eix-** dels verbs incoatius de la tercera conjugació es converteix en **-ix-**: *patix, produïx*.
- Utilització freqüent del perfet simple, fins i tot en primera persona del singular **aní, anares, anà, anàrem, anàreu, anaren**.
- Utilització de les terminacions **-ara, -ares**…, **-era, -eres**…, **-ira, -ires**…, en els imperfets de subjuntiu *cantara, volguera, sentira*.
- Els pronoms **me, te, se, ne, les, mos, vos** s'utilitzen normalment en forma plena quan es troben entre consonants: *ells* **me** *donen, quan* **vos** *voré*.
- Combinacions de pronoms de complement directe i indirecte: **li ho** *diré*; **li'n** *donarem*; **els els** *donen*; **li'l** *done*; **li la** *done*.*

* Aquestes formes són vives en la parla col·loquial. Les equivalents en el Principat són **li ho** *diré*, pronunciat [li], **li'n** *donarem*, pronunciat [ni], **els els** *donen*, pronunciat [əlzi], **l'hi** *dono*, pronunciat [li], **la hi** *dono*, pronunciat [li].

1
2 🎬 1. — Intenta trobar en les intervencions de Vicent quin d'aquests trets hi apareixen.

2. — Llegeix aquesta informació sobre el País Valencià i respon a les preguntes que hi ha a continuació.

PAÍS VALENCIÀ

La Geografia

El País Valencià és el més meridional i el segon en extensió dels Països Catalans. Té una superfície de 23.291 quilòmetres quadrats. Comprèn 21 comarques de llengua catalana (87,68% de la població i 58,24% de la superfície) i 11 comarques de llengua castellana (12,32% de la població i 41,76% de la superfície).

La Història

Els primers indicis segurs de poblament estan documentats al paleolític mitjà. A partir d'aquí, per València han passat fenicis, grecs, cartaginesos, romans, bizantins, visigots i musulmans.

A mitjan segle tretzè València fou conquerida i repoblada per Jaume I i quedà així annexionada a la Corona d'Aragó. L'any 1261 el rei atorgà al poble valencià els furs de València (norma jurídica que recollia el dret vigent), amb els quals es començaren a regir les primeres corts del regne.

Durant el segle XV València experimentà una gran expansió econòmica que repercutí en el món de les arts i de la literatura: Ausiàs March escriví la seva extensa obra lírica a partir de 1425. Al segle XVIII, després de la victòria borbònica en la guerra de Successió, Felip V dictà un decret (decret de Nova Planta, 1707) pel qual el regne de València perdia el seu règim foral i passava a regir-se per la legislació castellana. Des d'aleshores el País Valencià, igual que la resta dels Països Catalans, va ser dividit en províncies i el castellà hi esdevingué llengua oficial.

Actualment el País Valencià posseeix un estatut d'autonomia i un sistema d'administració autònom, a través de la Generalitat valenciana. El català, en la seva varietat dialectal valenciana, és llengua cooficial, conjuntament amb el castellà.

L'Agricultura

València té una horta molt rica. Els productes agrícoles més importants són l'arròs, els cítrics i altres fruiters, sobretot l'ametller.

La Indústria

Les principals indústries valencianes són de construcció naval, de transformats metàl·lics, de calçat, de joguines i d'alimentació (fruites seques i torrons).

Alguns personatges rellevants

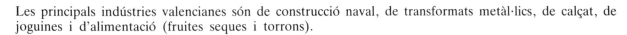

Pintors com Josep Ribera, Joaquim Sorolla i Josep Renau; escultors com Marià Benlliure i Andreu Alfaro; filòsofs com Joan Lluís Vives; polítics com els Borja; escriptors com Ausiàs March, Joanot Martorell, Vicent Andrés Estellés i Joan Fuster; lingüistes com Manuel Sanchis Guarner; músics com Joaquim Rodrigo i Carles Santos i cantants com Raimon i Ovidi Montllor.

— De quantes comarques es compon el País Valencià?
— Què són els Furs de València?
— Què va significar el decret de Nova Planta? Qui va afectar?
— Quines llengües es parlen al País Valencià?

PAÏSOS CATALANS

Com ja hem dit en Vicent, la Neus i l'Alfonso han volgut fer el viatge de nuvis pels Països Catalans amb el taxi (sense passar per les Illes, però). Ara explica les incidències del viatge.

2  3. — Escolta el diàleg i...

a) Marca en el mapa el recorregut que han fet la Neus i l'Alfonso.

b) Escriu en el mapa el nom dels diversos llocs on han estat.

c) Escriu el nom dels llocs on van passar aquestes coses:

— A .... es va espatllar el cotxe.
— A .... van anar a menjar una paella.
— A .... va ploure.
— A .... l'Alfons va agafar una colitis.
— A .... van trobar en Vicent.
— A .... l'Alfonso va caure al riu.

174

Els Països Catalans estan repartits en tres estats: l'espanyol (93,41% del territori i 96,64% de la població), el francès (5,92% del territori i 3,16% de la població) i Andorra (0,67% del territori i 0,20% de la població).

Els Països Catalans ocupen una superfície de 69.032 km^2. La població absoluta dels Països Catalans, el 1973, era de 9.856.000 habitants. Si la comparem amb la població dels 28 estats europeus, es situaria en tretzè lloc, i en el vuitè comparada amb els països mediterranis. La població relativa que en resulta (143 habitants per quilòmetre quadrat) situa els Països Catalans en el novè lloc d'Europa, només superats, entre els estats extensos, per les dues Alemanyes, el Regne Unit i Itàlia, i en el cinquè de la Mediterrània.

4. — Digues a quins d'aquests llocs corresponen aquestes fotografies.

1

2

3

4

5

6

LLEIDA
BARCELONA
TORTOSA
VIC
EL CANIGÓ
MONTSERRAT
VALÈNCIA
PALMA DE MALLORCA
SAGUNT
POBLET
SANT PERE DE RODES
CASTELLÓ

LA CANÇÓ CATALANA

La cançó catalana constitueix una de les mostres més importants de la cultura catalana actual. Però, a més d'això, s'ha convertit en un dels exponents més clars de la unitat lingüística dels Països Castalans ja que, en la mateixa empresa de revitalització cultural, hi han coincidit cantants procedents de diversos indrets de parla catalana: de Xàtiva, d'Alcoi, de València, de Palma de Mallorca, d'Eivissa, de Verges, de Barcelona, de Canet, de Vic, etc.

A la cassette hi tens enregistrades tres cançons de tres cantants procedents de llocs diferents: Jaume Sisa, de Barcelona, Maria del Mar Bonet, de Palma de Mallorca, i Raimon, de Xàtiva (València).

3 ⊞ 5. — **Escolta aquestes tres cançons i completa les lletres amb les paraules que hi falten.**

MANIQUÍ

Duu un ....
i entalonades sabatetes.
Oh maniquí, oh maniquí.

Té un ....
caçadora de promeses
Oh maniquí, oh maniquí.

Però un .... li desvetlla
aquest aire ambigu de coqueta.
Oh maniquí, oh maniquí.

Maniquí, ...
Maniquí, t'estimo tant.
Et diré tendres paraules,
per sempre més ....
Oh! Nineta embolicada en cel·lofana,
tu ets el més ....
que em pugui fer el meu sant.

Duu calcetes amb puntetes
i usa ....
Oh maniquí, oh maniquí.

Una faldilla curteta
i un jersei que ....
Oh maniquí, oh maniquí.

De sota una ....
un indiscret perfum s'escola
Oh maniquí, oh maniquí.

Maniquí, jo et vull fer mare.
(TORNADA)

De l'aparador és la reina:
ulls opacs, ...
Oh maniquí, oh maniquí.

Les secretàries, ui, com l'envegen!
tan ....
Oh maniquí, oh maniquí.

Blanca, ...
elegant i endiumenjada.

Maniquí, jo et vull fer mare
(TORNADA)

Jaume Sisa

176

CANÇÓ DE LA MARE

He deixat ....
sola
a Xàtiva, ...

Ma mare que ....
espera
que torne ....

He deixat ....
que em volen
i esperen, com ma mare,
que jo torne ....

He vingut ací
perquè crec que ....,
en la meua estimada llengua,
paraules i fets
que .... ens agermanen.

Paraules i fets
que encara ens ....
homes entre els homes.

Paraules i fets
que encara ens agermanen
en la lluita ....
en la lluita contra la sang,

en la lluita ....
en la lluita contra la fam.
En la sempre .... lluita
contra el que ens espera
i ens fa ....
a tots nosaltres estranys.

He deixat ma mare
i els meus germans.

He deixat ....
i tots els que esperen
que jo torne ....

I crec que ....
I crec que ....

Jo sé, jo sé, jo sé, jo sé
que .... al carrer Blanc.

Però ara ací,
però ara ací,
crec que també és ....,
i crec que puc dir-vos,
amb el ....,
a tots vosaltres germans.
Germans.

Raimon

EL FANTASMA
(Cançó popular de Menorca)

Fantasma ....,
que jo som un homo vei.
Fantasma, ...
Que .... un mando de Rei.
que ningú em pot aturar.

En sentir tocar fantasma
som .... i no tenc remei;
som .... de ....
però
així mateix pelei.

.... Batle, ... Batle,
ja no és ....
que en es pla des Monestir
n'és sortida una fantasma.

Maria del Mar Bonet

LÈXIC, EXPRESSIONS I FRASES FETES

Verbs

atorgar *otorgar*
conquistar *conquistar*
esdevenir *volverse, convertirse*
esdevenir-se *acontecer*
repercutir *repercutir*
repoblar *repoblar*

Ajectius

europeu/-ea *europeo*
grec/-ega *griego*
greu *grave*
mediterrani/-ània *mediterráneo*
musulmà/-ana *musulmán*
valencià/-ana *valenciano*

Substantius

agricultura *f agricultura*
batalla *f batalla*
comarca *f comarca*
corts *f cortes*
decret *m decreto*
estat *m estado*
expansió *f expansión*
fur *m fuero*
geografia *f geografía*
habitant *m habitante*
història *f historia*
horta *f huerta*
imperi *m imperio*
indústria *f indústria*
legislació *f legislación*
pàtria *f patria*
població *f población*
regne *m reino*
superfície *f superficie*
territori *m territorio*
victòria *f victoria*

EXERCICIS ESCRITS

A) SOPA DE LLETRES: Troba deu noms de ciutats o de pobles dels Països Catalans. (Poden anar en horitzontal, en vertical i en diagonal, tant del dret com del revés)

J	O	S	E	U	Q	A	D	A	C
A	N	M	S	P	S	N	R	R	O
M	A	N	A	C	O	R	O	S	A
M	T	I	I	R	I	T	E	L	X
C	M	E	P	V	E	L	C	I	A
I	O	N	M	R	I	A	S	N	T
V	A	A	E	A	T	E	A	A	I
A	M	C	R	T	E	S	L	S	V
C	I	U	T	A	D	E	L	L	A
R	A	L	G	U	E	R	R	I	A

B) Mira aquests dibuixos i fixa't en les paraules que els designen en valencià i en baleàric. Escriu les paraules equivalents en català central.

valencià: espill
català central:

baleàric
valencià | torcar
català central:

baleàric: capell
català central:

baleàric: besada
valencià: bes
català central:

baleàric
valencià | poal
català central:

baleàric: al·lot/al·lota
valencià: xic/xica
català central:

baleàric
valencià | granera
català central:

baleàric: ca
català central:

baleàric
valencià | arena
català central:

SOLUCIÓ DELS EXERCICIS I TRANSCRIPCIÓ DELS DIÀLEGS

1. — DIÀLEGS 1 i 2

Transcripció i solució

MERCÈ:	Bon dia!
VICENT:	Bon dia, senyora. Sóc *Vicent*. Vaig conèixer *Neus* i *Alfonso*...
MERCÈ:	La Neus i L'Alfonso? I on són? Digui, els ha passat res?
VICENT:	No *patixca*, senyora. Ells estan bé. Són a la *meua* terra, a València, i jo he vingut a tornar-los el taxi.
MERCÈ:	El taxi? Però... No entenc res. A veure, passi, passi. Carme, Miquel, Toni! Aquí hi ha un senyor que ens porta notícies dels nuvis.
CARME:	Què els ha passat?
MERCÈ:	No ho sé. A veure, vostè d'on ve?
VICENT:	No *li ho* dic? De València.
MIQUEL:	I, a l'Alfonso, el coneixia d'abans?
VICENT:	Alfonso, el *coneguí* ara durant el seu viatge de nuvis, quan *passaren* per València.
CARME:	I com és que vostè porta el cotxe?
TONI:	Són vius o morts?
VICENT:	*Açò* jo no ho sé. Però no *patixquen*, el cas no és greu. *Els ho explique* de seguida i *voran** com no cal alarmar-se. Segons *pareix*,* el seu amic volia travessar els Països Catalans, des del Rosselló fins a Alacant.
MIQUEL:	Sí, havia decidit organitzar-se un viatge cultural per conèixer a fons la seva pàtria d'adopció. Va pujar directe fins a Perpinyà i després va anar baixant de mica en mica.
CARME:	Cada dia rebíem l'un o l'altre una postal.
MERCÈ:	Sí, només lliçons d'història! Des del Canigó, que a la batalla de Muret es va perdre l'oportunitat d'un imperi catalano-occità. Des de Sant Pere de Rodes, que si Jaume I, que va conquerir i repoblar Mallorca i València, va ser l'inventor d'això que no s'acaba d'inventar mai i que són els Països Catalans.
CARME:	La qüestió és que, de sobte, des de fa vuit dies, silenci. I avui, se'ns presenta vostè amb el taxi.
VICENT:	Si *me* deixen parlar *eixiran** de dubtes. *Alfonso* a Lleida *agarrà** una colitis. Després la *seua* dona m'ho *explicà* molt divertida.
MIQUEL:	I ell?
VICENT:	Ell no tant. *Eixe* dia *decidí* no escriure més postals, dic joc. Però la història no s'acaba *ací*. A Tortosa *caigué* al riu i se li *curà* la colitis de cop, però *llavores** *agarrà** una pulmonia.
TONI:	Fantàstic! És a dir que fatal.
VICENT:	No, a part d'açò, tot molt bé. *Tingueren* molt bon temps. Millor dit, *tingueren* molt bon temps fins a Castelló. *Llavores** *se posà* a ploure i, com que Alfons estava a quaranta de febre, jo *pense* que tot el mal li ve d'*ací*.
MIQUEL:	El mal de què? Se li va complicar la pulmonia?
VICENT:	La pulmonia es *curà*. Jo *supose* que en realitat no *fóra* una pulmonia. Però el cotxe *es banyà** molt perquè el *xic**, malalt, no se'n preocupà. Ara, de fet no es *féu* malbé del tot, el cotxe vull dir, fins a Sagunt. A Sagunt sí, a Sagunt *féu* figa; *el remolcaren* fins a València i allà els *trobí* jo. Els vaig convidar a unes copes, ens *férem* amics, els vaig portar primer a l'Albufera i després a menjar una paella al Saler. *Brindàrem* per València, pel Principat, per la germanor dels Països Catalans i no sé per què més. Després *portàrem* el cotxe al taller i els vaig facturar en tren.
MERCÈ:	Cap a casa, cap a Barcelona.
VICENT:	Cap a Alacant.
MIQUEL:	Ell, malgrat tot, va voler continuar endavant.
VICENT:	*Me pense* que va ser cosa d'ella.
TONI:	Ja mana.

MIQUEL: Qui ho havia de dir!

CARME: Jo. La vaig alliçonar bé.

VICENT: *Quedàrem* que, com que jo havia de pujar a Barcelona, una vegada arreglat, portaria el cotxe. I *ací* em tenen.

MERCÈ: Ara s'entén tot.

TONI: Pobre Alfonso!

CARME: No hi estic d'acord. De pobre, res. Pobra, la Neus, haver d'aguantar un saldo d'home que se li posa dues vegades malalt en ple viatge de nuvis.

MERCÈ: I la Neus es trobava bé, així? Bé del tot? A vostè què li sembla?

VICENT: A mi em *pareix** que sí.

CARME: Senyora, quina obsessió!

TONI: Pel que explica el senyor Vicent, no crec que tinguessin gaire temps ni ganes d'això que vostè tan morbosament no fa més que pensar.

MIQUEL: En fi, esperem que arribaran vius.

Les paraules en cursiva manifesten algun dels trets dialectals del quadre. Ex. *Vicent*, no porta l'article personal; *coneguí*, és un pasat expressat en forma simple, etc. Les paraules que tenen asteric (*) presenten diferèncis dialectals no expressades en el quadre perquè són d'ordre lexical. Us en posem l'equivalent en català central

voran = veuran
pareix = sembla
eixiran = sortiran
agarrà = agafà (va agafar)
llavores = llavors
es banyà = es mullà (es va mullar)
xic = noi

2. — Solució

— El País Valencià es compon de 32 comarques, 21 de llengua catalana i 11 de llengua castellana.

— Els Furs de València eren la norma jurídica que recollia el dret vigent i que van ser atorgats pel rei Jaume I.

— El decret de nova planta va significar l'abolició de l'antiga organització constitucional dels països que integraven la corona catalano-aragonesa i l'establiment en aquests països d'una manera més o menys completa, de l'organització política pròpia de Castella.

— Al País Valencià es parla el català en la seva variant valenciana, i el castellà.

3. — Solucions

c) — A *Sagunt* es va espatllar el cotxe.
— Al *Saler* van anar a menjar una paella.
— A *Castelló* va ploure.
— A *Lleida* l'Alfonso va agafar una colitis.
— A *València* van trobar en Vicent.
— A *Tortosa* l'Alfonso va caure al riu.

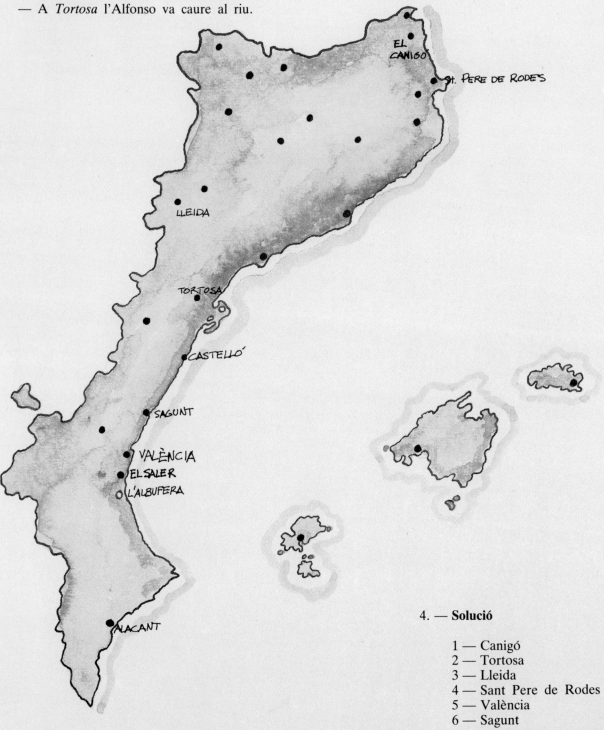

4. — Solució

1 — Canigó
2 — Tortosa
3 — Lleida
4 — Sant Pere de Rodes
5 — València
6 — Sagunt

5. — CANÇONS

Transcripció i solució

MANIQUÍ

Duu un *collaret de falses perles*
i entalonades sabatetes.
Oh maniquí, oh maniquí.

Té un *posat de senyoreta*
caçadora de promeses
Oh maniquí, oh maniquí.

Però un *raig de sucre* li desvetlla
aquest aire ambigu de coqueta.
Oh maniquí, oh maniquí.

Maniquí, *jo et vull fer mare.*
Maniquí, t'estimo tant.
Et diré tendres paraules,
per sempre més *tindràs amant.*
Oh! Nineta embolicada en cel·lofana,
tu ets el més *preciós regal*
que em puguin fer pel meu sant.

Duu calcetes amb puntetes
i usa *fines mitges negres*
Oh maniquí, oh maniquí.

Una faldilla curteta
i un jersei que *els pits li ofega.*
Oh maniquí, oh maniquí.

De sota una *perruca rossa*
un indiscret perfum s'escola
Oh maniquí, oh maniquí.

Maniquí, jo et vull fer mare.
(TORNADA)

De l'aparador és la reina:
ulls opacs, *galtes lluents.*
Oh maniquí, oh maniquí.

Les secretàries, ui, com l'envegen!
tan *delicadament esvelta.*
Oh maniquí, oh maniquí.

Blanca, *neta i perfumada*
elegant i endiumenjada.

Maniquí, jo et vull fer mare
(TORNADA)

Jaume Sisa

CANÇÓ DE LA MARE

He deixat *ma mare*
sola
a Xàtiva, *al carrer Blanc.*

Ma mare que *sempre*
espera
que torne *com abans.*

He deixat *germans i amics*
que em volen
i esperen, com ma mare,
que jo torne *com abans.*

He vingut ací
perquè crec que *puc dir-vos,*
en la meua estimada llengua,
paraules i fets
que *encara* ens agermanen.

Paraules i fets
que encara ens *fan sentir*
homes entre els homes.

Paraules i fets
que encara ens agermanen
en la lluita *contra la por,*
en la lluita contra la sang,
en la lluita *contra el dolor,*
en la lluita contra la fam.
En la sempre *necessària* lluita
contra el que ens espera
i ens fa *sentir-nos*
a tots nosaltres estranys.

He deixat ma mare
·i els meus germans.

He deixat *els amics i la casa*
i tots els que esperen
que jo torne *com abans.*

I crec que *he fet bé.*
I crec que *he fet bé.*

Jo sé, jo sé, jo sé, jo sé
que *tornaré* al carrer Blanc.

Però ara ací,
però ara ací,
crec que també es *ma casa,*

i crec que puc dir-vos,
amb el *cor obert,*
a tots vosaltres germans.
Germans.

Raimon

EL FANTASMA
(Cançó popular de Menorca)

Fantasma, *deixa'm passar,*
que jo som un homo vei.
Fantasma, *deixa'm passar.*
Que *duc* un mando de Rei
que ningú em pot aturar.

En sentir tocar fantasma
som *mort* i no tenc remei;
som *soldat* de *poques armes*
però així mateix pelei.

Senyor Batle, *senyor* Batle,
ja no és *hora de dormir*
que en es pla des Monestir
n'és sortida una fantasma.

Maria del Mar Bonet

SOLUCIÓ DELS EXERCICIS ESCRITS

A) SOPA DE LLETRES: Troba deu noms de ciutats o de pobles dels Països Catalans. (Poden anar en horitzontal, en vertical i en diagonal, tant del dret com del revés)

J	O	S	E	U	Q	A	D	A	C
A	N	M	S	P	S	N	R	R	O
M	A	N	A	C	O	R	O	S	A
M	T	I	I	R	I	T	E	L	X
C	M	E	P	V	E	L	C	I	A
I	O	N	M	R	I	A	S	N	T
V	A	A	E	A	T	E	A	A	I
A	M	C	R	T	E	S	L	S	V
C	I	U	T	A	D	E	L	L	A
R	A	L	G	U	E	R	R	I	A

B) Mira aquests dibuixos i fixa't en les paraules que els designen en valencià, i en baleàric. Escriu les paraules equivalents en català central.

valencià: espill
català central: **mirall**

baleàric: besada
valencià: bes
català central: **petó**

baleàric: |
valencià: | granera
català central: **escombra**

baleàric: |
valencià: | poal
català central: **galleda**

baleàric: ca
català central: **gos**

català central: **eixugar**

baleàric: capell
català central: **barret**

baleàric: al·lot/al·lota
valencià: xic/xica
català central: **noi/noia**

baleàric: |
valencià: | arena
català central: **sorra**

184

QUÈ OPINES DEL CURS?
Avaluació del curs

L'objectiu d'aquesta darrera unitat no se centra en l'adquisició d'unes determinades aptituds comunicatives, sinó en la seva pràctica real. Et demanem que opinis, que expressis una valoració personal sobre el curs que ara acabem i sobre els seus resultats, reflectits en una anàlisi del teu comportament lingüístic, després d'haver realitzat tot el treball d'aprenentatge proposat al llarg de les unitats didàctiques que componen el curs **Digui, digui...**

Per a això, et demanem que responguis al test següent i que ens facis arribar el seu resultat, retallant els qüestionaris i enviant-los al centre multimèdia que tinguis més a la vora o a la Direcció General de Política Lingüística, Departament de Cultura de la Generalitat de Catalunya. Les teves opinions ens ajudaran a millorar els futurs materials destinats a l'aprenentatge del català.

Marca amb una creu l'afirmació que s'adigui amb la manera com has seguit el curs

He fet els dos nivells del curs complets (**Digui, digui.../1 i 2**)	☐
He fet el primer nivell del curs (**Digui, digui.../1**) complet i part del segon (**Digui, digui.../2**)	☐
He fet el segon nivell del curs complet (**Digui, digui.../2**) i part del primer (**Digui, digui.../1**)	☐
Solament he fet el segon nivell del curs (**Digui, digui.../2**)	☐
Solament he fet part del segon nivell del curs (**Digui, digui.../2**)	☐

Marca amb una creu l'afirmació que s'adigui amb el que has fet durant els dos nivells del curs

	1r.	2n.
He seguit el curs com a autoaprenent	☐	☐
He realitzat consultes periòdiques a professors	☐	☐
He assistit a classes on s'impartia aquest mateix curs	☐	☐
He assistit a altres classes de català on **no** s'impartia aquest curs	☐	☐
He seguit regularment els programes de TV del curs	☐	☐
He seguit alguns programes de TV del curs, però no regularment	☐	☐
He vist molt pocs programes de TV del curs	☐	☐
He seguit regularment els programes de ràdio del curs	☐	☐
He seguit alguns programes de ràdio del curs, però no regularment	☐	☐
He seguit molt pocs programes de ràdio del curs	☐	☐
No he sentit cap programa de ràdio del curs	☐	☐

He utilitzat regularment les pàgines de *premsa en castellà* del curs	☐	☐
He utilitzat algunes vegades les pàgines de *premsa en castellà* del curs, però no regularment	☐	☐
He utilitzat molt poques vegades les pàgines de *premsa en castellà* del curs	☐	☐
No he utilitzat mai les pàgines de *premsa en castellà* del curs	☐	☐
He utilitzat regularment les pàgines de *premsa en català* del curs	☐	☐
He utilitzat algunes vegades les pàgines de *premsa en català* del curs, però no regularment	☐	☐
He utilitzat molt poques vegades les pàgines de *premsa en català* del curs	☐	☐
No he utilitzat mai les pàgines de *premsa en català* del curs	☐	☐

Com has trobat els materials que has utilitzat?

	divertits	avorrits	útils	inútils	
Llibres de text	☐	☐	☐	☐	☐
Cassettes	☐	☐	☐	☐	☐
Programes de TV o vídeo	☐	☐	☐	☐	☐
Programes de ràdio	☐	☐	☐	☐	☐
Pàgines de *premsa en castellà*	☐	☐	☐	☐	☐
Pàgines de *premsa en català*	☐	☐	☐	☐	☐

Puntua de 0 a 5 cada un dels materials que has utilitzat, segons l'opinió que tinguis de cada un d'ells.
DIGUI, DIGUI.../1

	5	4	3	2	1	0
Llibres de text	☐	☐	☐	☐	☐	☐
Cassettes	☐	☐	☐	☐	☐	☐
Programes de TV o vídeo	☐	☐	☐	☐	☐	☐
Programes de ràdio	☐	☐	☐	☐	☐	☐
Pàgines de *premsa en castellà*	☐	☐	☐	☐	☐	☐
Pàgines de *premsa en català*	☐	☐	☐	☐	☐	☐

DIGUI, DIGUI.../2

	5	4	3	2	1	0
Llibres de text	☐	☐	☐	☐	☐	☐
Cassettes	☐	☐	☐	☐	☐	☐
Programes de TV o vídeo	☐	☐	☐	☐	☐	☐
Programes de ràdio	☐	☐	☐	☐	☐	☐
Pàgines de *premsa en castellà*	☐	☐	☐	☐	☐	☐
Pàgines de *premsa en català*	☐	☐	☐	☐	☐	☐

5 = excel·lent
4 = bo
3 = acceptable
2 = una mica deficient
1 = bastant deficient
0 = totalment deficient

Quines parts dels materials bàsics t'han resultat més útils? Puntua-les de 0 a 5, segons la seva utilitat.

	5	4	3	2	1	0
Explicacions i comentaris del llibre	☐	☐	☐	☐	☐	☐
Diàlegs	☐	☐	☐	☐	☐	☐
Exercicis orals (Pràctica d'estructures)	☐	☐	☐	☐	☐	☐
Exercicis escrits	☐	☐	☐	☐	☐	☐
Lectures	☐	☐	☐	☐	☐	☐
Exercicis de comprensió oral	☐	☐	☐	☐	☐	☐
Exercicis de pronunciació	☐	☐	☐	☐	☐	☐
Quadres i resums gramaticals	☐	☐	☐	☐	☐	☐

5 = molt útils   4 = bastant útils   3 = útils només en alguns casos
2 = no gaire útils   1 = inútils en la majoria dels casos   0 = bastant inútils

Què hauries suprimit dels llibres? _____

Per què? _____

Què hi has trobat a faltar? _____

Què hauries suprimit dels programes de TV o vídeo? _____

Per què? _____

Què hi has trobat a faltar? _____

Què hauries suprimit dels programes de ràdio? _____

Per què? _____

Què hi has trobat a faltar? _____

Què hauries suprimit de les pàgines de premsa? _____

Per què? _____

Què hi has trobat a faltar? _____

Avalua el teu grau de comprensió del català parlat, després d'haver fet el curs. Puntua de 0 a 5 les afirmacions següents, segons el barem que hi ha en aquesta pàgina.

Ara, en català, sóc capaç d'entendre...

	5	4	3	2	1	0
una conversa curta, parlada a velocitat normal	☐	☐	☐	☐	☐	☐
una conversa llarga, parlada a velocitat normal	☐	☐	☐	☐	☐	☐
una conversa telefònica	☐	☐	☐	☐	☐	☐
qualsevol programa de ràdio	☐	☐	☐	☐	☐	☐
qualsevol programa de TV o pel·lícula de cine	☐	☐	☐	☐	☐	☐
cançons	☐	☐	☐	☐	☐	☐
avisos o anuncis per altaveus	☐	☐	☐	☐	☐	☐

Avalua la teva capacitat d'expressió oral en català. Puntua de 0 a 5 les afirmacions següents, segons el barem que hi ha en aquesta pàgina.

Ara, en català, sóc capaç de...

	5	4	3	2	1	0
donar informació sobre mi mateix	☐	☐	☐	☐	☐	☐
donar informació sobre altres persones	☐	☐	☐	☐	☐	☐
explicar què s'ha de fer per anar a un lloc	☐	☐	☐	☐	☐	☐
explicar alguna cosa que m'hagi passat	☐	☐	☐	☐	☐	☐
descriure persones	☐	☐	☐	☐	☐	☐
descriure objectes	☐	☐	☐	☐	☐	☐

expressar les meves preferències sobre diversos temes	☐	☐	☐	☐	☐	☐
donar la meva opinió sobre qualsevol tema que conegui	☐	☐	☐	☐	☐	☐
utilitzar les fórmules de cortesia més habituals	☐	☐	☐	☐	☐	☐
proposar activitats	☐	☐	☐	☐	☐	☐
convidar algú	☐	☐	☐	☐	☐	☐
concertar una cita	☐	☐	☐	☐	☐	☐
expressar un estat d'ànim	☐	☐	☐	☐	☐	☐
demanar i donar consells	☐	☐	☐	☐	☐	☐
fer recriminacions i retrets	☐	☐	☐	☐	☐	☐
donar arguments a favor d'un punt de vista	☐	☐	☐	☐	☐	☐
narrar una experiència personal	☐	☐	☐	☐	☐	☐
fer prediccions	☐	☐	☐	☐	☐	☐
fer suposicions i hipòtesis	☐	☐	☐	☐	☐	☐
parlar sobre la meva activitat professional	☐	☐	☐	☐	☐	☐

5 = perfectament   4 = sense gaires dificultats   3 = amb algunes dificultats
2 = m'és bastant difícil   1 = m'és molt difícil   0 = m'és impossible

Avalua la teva capacitat de comprensió lectora, després d'haver fet el curs. Puntua de 0 a 5 les afirmacions següents, segons el barem que hi ha en aquesta pàgina.

Ara, en català, sóc capaç d'entendre missatges escrits en...

	5	4	3	2	1	0
cartells	☐	☐	☐	☐	☐	☐
anuncis	☐	☐	☐	☐	☐	☐
notes i avisos	☐	☐	☐	☐	☐	☐
fullets de propaganda	☐	☐	☐	☐	☐	☐
manuals d'instruccions	☐	☐	☐	☐	☐	☐
cartes comercials	☐	☐	☐	☐	☐	☐
cartes de coneguts	☐	☐	☐	☐	☐	☐
articles periodístics	☐	☐	☐	☐	☐	☐

reportatges de diaris o revistes	☐ ☐ ☐ ☐ ☐ ☐
narracions curtes (contes, relats, etc.)	☐ ☐ ☐ ☐ ☐ ☐
narracions llargues (novel·les, biografies, etc.)	☐ ☐ ☐ ☐ ☐ ☐
poemes i lletres de cançons	☐ ☐ ☐ ☐ ☐ ☐
manuals sobre temes especialitzats (d'història, d'art, de ciència, de música, etc.)	☐ ☐ ☐ ☐ ☐ ☐

Avalua la teva capacitat d'expressió escrita, després d'haver fet el curs. Puntua de 0 a 5 les afirmacions següents, segons el barem que hi ha en aquesta pàgina.

Ara, en català, sóc capaç de...

	5	4	3	2	1	0
escriure notes i avisos	☐	☐	☐	☐	☐	☐
escriure talons, albarans, factures, etc.	☐	☐	☐	☐	☐	☐
omplir formularis i fitxes personals	☐	☐	☐	☐	☐	☐
redactar un currículum vitae	☐	☐	☐	☐	☐	☐
escriure instàncies, peticions formals, etc.	☐	☐	☐	☐	☐	☐
redactar una reclamació o una denúncia	☐	☐	☐	☐	☐	☐
escriure postals	☐	☐	☐	☐	☐	☐
escriure cartes comercials	☐	☐	☐	☐	☐	☐
escriure cartes personals	☐	☐	☐	☐	☐	☐
complimentar qüestionaris	☐	☐	☐	☐	☐	☐
redactar instruccions	☐	☐	☐	☐	☐	☐
fer descripcions per escrit	☐	☐	☐	☐	☐	☐
prendre notes d'una conferència, d'una xerrada, etc.	☐	☐	☐	☐	☐	☐
fer un resum escrit	☐	☐	☐	☐	☐	☐
redactar un informe	☐	☐	☐	☐	☐	☐

5 = perfectament   4 = sense gaires dificultats   3 = amb algunes dificultats
2 = m'és bastant difícil   1 = m'és molt difícil   0 = m'és impossible

Després d'haver fet el curs, creus que utilitzes més el català que abans?

	més	igual	menys
amb desconeguts que se t'adrecen en català	☐	☐	☐
amb desconeguts, quan no saps quina és la seva llengua	☐	☐	☐
amb els companys de classe	☐	☐	☐
amb els companys de feina	☐	☐	☐
amb coneguts que són catalanoparlants	☐	☐	☐
amb coneguts castellanoparlants, però que entenen el català	☐	☐	☐
quan vas a comprar	☐	☐	☐
quan t'has d'adreçar a alguna persona o a alguna institució de l'Administració (de Catalunya)	☐	☐	☐

Després d'haver fet el curs, creus que tens més contacte amb mitjans de comunicació i de cultura en català?

	més	igual	menys
amb la TV: veig programes de TV en català	☐	☐	☐
amb el cine: veig pel·lícules de TV en català	☐	☐	☐
amb la ràdio: escolto programes de ràdio en català	☐	☐	☐
amb el teatre: veig obres de teatre en català	☐	☐	☐
amb la premsa diària: llegeixo diaris en català	☐	☐	☐
amb altres publicacions periòdiques: llegeixo revistes en català	☐	☐	☐
amb la literatura: llegeixo llibres en català	☐	☐	☐
amb la música: escolto discos o vaig a concerts de cançó catalana	☐	☐	☐

SUMARI